COLLECTION FOLIO

René Barjavel

Ravage

Denoël

À LA MÉMOIRE
DE MES GRANDS-PÈRES,
PAYSANS

Les temps nouveaux

François Deschamps soupira d'aise et déplia ses longues jambes sous la table.

Pour franchir les deux cents kilomètres qui le séparaient de Marseille, il avait traîné plus d'une heure sur une voie secondaire et supporté l'ardeur du soleil dans le wagon tout acier d'un antique convoi rampant. Il goûtait maintenant la fraîcheur de la buvette de la gare Saint-Charles. Le long des murs, derrière des parois transparentes, coulaient des rideaux d'eau sombre et glacée. Des vibreurs corpusculaires entretenaient dans la salle des parfums alternés de la menthe et du citron. Aux fenêtres, des nappes d'ondes filtrantes retenaient une partie de la lumière du jour. Dans la pénombre, les consommateurs parlaient peu, parlaient bas, engourdis par un bien-être que toute phrase prononcée trop fort eût troublé.

Au plafond, le tableau lumineux indiquait, en teintes discrètes, les heures des départs. Pour Paris, des automotrices partaient toutes les cinq minutes. François savait qu'il lui faudrait à peine plus d'une heure pour atteindre la capitale. Il avait bien le temps. En face de lui, la caissière, les yeux mi-clos, poursuivait son rêve.

Sur chaque table, un robinet, un cadran semblable à celui de l'ancien téléphone automatique, une fente pour recevoir la monnaie, un distributeur de gobelets de plastec, et un orifice pneumatique qui les absorbait après usage, remplaçaient les anciens « garçons ». Personne ne troublait la quiétude des consommateurs et ne mettait de doigt dans leur verre.

Cependant, pour éviter que les salles de café ne prissent un air de maisons abandonnées, pour leur conserver une âme, les limonadiers avaient gardé les caissières. Juchées sur leurs hautes caisses vides, elles n'encaissaient plus rien. Elles ne parlaient pas. Elles bougeaient peu. Elles n'avaient rien à faire. Elles étaient présentes. Elles engraissaient. Celle que regardait François Deschamps était blonde et rose. Elle avait ces traits reposés et cet âge indéfini des femmes à qui les satisfactions de l'amour conservent longtemps la trentaine. Elle dormait presque et souriait. D'un cache-pot de cuivre posé sur la caisse, sortait une plante verte ornée d'un ruban grenat éteint. Les feuilles luisantes encadraient, de leur propre immobilité, l'immobilité de son visage. Au-dessus d'elle au bout d'un fil, se balançait imperceptiblement le cadran d'une horloge perpétuelle. Les chiffres lumineux touchaient ses cheveux d'un reflet vert d'eau, et rappelaient aux voyageurs distraits que cette journée du 3 juin 2052 approchait de sept heures du soir, et que la lune allait changer.

François Deschamps sentit qu'il allait s'endormir à son tour s'il continuait à contempler la dame blonde. Il bâilla, passa ses doigts écartés dans ses cheveux noirs coupés en tête-de-loup, se leva, empoigna sa valise et sortit.

Sur la porte, la chaleur le frappa de la tête aux pieds.

Une automotrice à suspension aérienne entra lentement en gare, vint s'arrêter à la hauteur du panneau qui portait les mots : direction Lyon-Paris. Elle rappelait par sa forme élancée les anciens vaisseaux sous-marins.

François trouva un siège libre à l'avant du véhicule. Des appareils conditionneurs entretenaient dans le wagon une température agréable.

A travers la paroi transparente, les voyageurs qui venaient de s'asseoir regardaient avec satisfaction ceux qui venaient de sortir et qui se pressaient, trottaient, se dispersaient, vers la sortie, vers la buvette, vers les correspondances, fuyaient la chaleur qui régnait sous le hall de la gare.

Une sirène ulula doucement, les hélices avant et arrière démarrèrent ensemble, l'automotrice décolla du quai, accéléra, fut en trois secondes hors de la gare.

François avait acheté les journaux marseillais du soir, de la bière dans un étui réfrigérant, et un roman policier.

Au guichet, il avait reçu, en même temps que son billet, une brochure luxueusement imprimée. La Compagnie Eurasiatique des Transports y célébrait le trentième anniversaire des *Trois Glorieuses du remplacement*.

Âgé de vingt-deux ans, François Deschamps n'avait pas vécu la fièvre de ces trois jours. Il en avait appris tous les détails à l'école, où les maîtres enseignaient une nouvelle Histoire, sans conquêtes ni révolutions, illustrée de visages de savants, jalonnée par les dates des découvertes et des tours de force techniques. Ces « trois glorieuses » pouvaient être considérées, pour l'époque, comme un exploit peu ordinaire.

Elles constituaient en quelque sorte la charnière de l'âge atomique, marquaient le moment où les hommes, sursaturés de vitesse, s'étaient résolument tournés vers un mode de vie plus humain. Ils s'étaient aperçus qu'il n'était ni agréable, ni, au fond, utile en quoi que ce fût, de faire le tour de la Terre en vingt minutes à cinq cents kilomètres d'altitude. Et qu'il était bien plus drôle, et même plus pratique, de flâner au ras des mottes à deux ou trois mille kilomètres à l'heure.

Aussi avaient-ils abandonné presque d'un seul coup, tout au moins en ce qui concernait la vie civile, les bolides à réaction atomique, pour en revenir aux confortables avions à hélice enveloppante. Ils avaient dans le même temps redécouvert avec attendrissement les chemins de fer, sur lesquels circulaient encore des trains à roues et à propulsion fusante, chargés de charbon ou de minerai.

Pour répondre au désir des populations, il avait fallu aménager les voies ferrées, remplacer les rails par la poutre creuse, et les convois à roues par des trains suspendus. Car, si l'on avait décidé qu'il n'était pas plaisant d'aller trop vite, si l'on criait qu'on avait envie de remonter « dans le train » comme grand-père, on n'aurait tout de même pas accepté de s'asseoir dans une brouette poussive qui se traînait sur le ventre à trois cents kilomètres à l'heure.

Sur la ligne Nantes-Vladivostok, les plans de remplacement avaient prévu la construction, partout où ce serait possible, de la voie aérienne sur l'emplacement même de l'ancien chemin de fer, afin d'utiliser ses ouvrages d'art.

D'autre part, il était nécessaire d'éviter une longue interruption du trafic, qui eût bouleversé la vie de deux continents. Les ingénieurs firent donc forger d'avance les milliers de kilomètres de l'énorme poutre creuse dans laquelle devaient rouler les poulies de suspension, firent assembler les pièces des millions de potences destinées à la soutenir, imaginèrent et construisirent pour chaque tunnel, chaque viaduc, des moyens spéciaux d'attache de la poutre conductrice. Le tout fut transporté sur place. Des équipes de monteurs spécialistes entourées de multitudes de manœuvres s'entraînèrent pendant six mois à faire les gestes nécessaires.

Quand il ne manqua plus un boulon, quand chaque ouvrier sut exactement quel serait son travail de fourmi dans la tâche gigantesque, des voies de garage absorbèrent tous les trains « à roulettes » dont ce fut le dernier voyage.

Le long de l'immense ruban qui traversait l'Europe et l'Asie, à la même seconde, des millions d'hommes se mirent au travail.

Dirigés par des nuées d'ingénieurs et de chefs d'équipe, crispés sur mille sortes d'outils rageurs, aidés par des machines gigantesques, broyeuses de rochers, mâcheuses d'acier, encouragés par des haut-parleurs qui leur jetaient des exhortations et des hymnes, éclairés la nuit par des diffuseurs qui continuaient la lumière du soleil, entourés de nuages de vapeur et de poussière, assourdis par le vacarme : coups, chansons, stridulations, ronronnements, hurlements de moteurs, cris poussés en vingt langues différentes par les populations accourues, ils arrachèrent, plantèrent, boulonnèrent, soudèrent, achevèrent en trois jours l'édification du chemin de fer suspendu, neuvième merveille du monde, qui reliait Nantes et Marseille à Vladivostok.

Il se but, pendant ce tour de force, le long de la voie, de l'Atlantique à la mer du Japon, vingt millions d'hectolitres de vin. Un cinquième fut absorbé par les ouvriers, le reste par les spectateurs. De cela, la brochure ne parlait point.

Des ministres de toutes les nations traversées inaugurèrent la ligne, à six cents kilomètres à l'heure. Le trafic normal suivit aussitôt.

C'étaient bien là trois glorieuses journées du début de ce XXIe siècle, qui, sa cinquantième année dépassée, semblait mériter définitivement le nom, qu'on lui donnait souvent, de siècle Ier de l'Ère de Raison.

Pourtant, entraîné à une grande vitesse, sans secousses, sans autre bruit que le ronflement des hélices et le froissement de l'air sur les murs du wagon, François Deschamps ne se sentait pas tout à fait à son aise. De tempérament actif, il aimait se servir de ses muscles, possédait le goût d'intervenir partout, chaque fois qu'il pouvait le faire de façon utile, et nourrissait l'ambition de diriger sa vie, au lieu de se laisser entraîner par les événements. Enfermé dans ce bolide, il s'estimait réduit à un rôle trop ridiculement passif. Chaque fois qu'il prenait le train ou l'avion, il éprouvait la même impression d'abdiquer une partie de sa volonté et de sa force d'homme.

Autour de lui se jouaient des forces si considérables qu'il se sentait bien plutôt leur proie que leur maître. Qu'une potence cédât, que la poutre craquât, qu'y pourrait-il, qu'y pourrait même l'ingénieur qui conduisait la machine? Il n'éprouvait certes pas la moindre peur, mais un sentiment désagréable d'impuissance.

Un soleil énorme, curieusement aplati, roulait à une vitesse folle sur l'horizon. Des toits en dents de scie l'entamèrent. Une colline le happa. Il reparut, à moitié rongé, dans une gorge, heurta une cheminée, et sombra. La rougeur du couchant envahit le véhicule. Celui-ci était fait d'une seule pièce de plastec, moulé sous pression. Cette matière remplaçait presque partout le verre, le bois, l'acier et le ciment. Transparente, elle livrait aux regards des voyageurs tout le ciel et la terre. Dure et souple, elle réduisait au minimum les risques d'accident.

Quelques mois auparavant, elle avait fait la preuve de ses qualités. Entre Paris et Berlin, un wagon se décrocha dans un virage, percuta contre une usine, abattit cinq murs, rebondit et se planta, la pointe en l'air, dans un toit.

Les voyageurs qu'on en retira ne possédaient plus un os d'entier. Quelques-uns en échappèrent, se firent mettre des os en plastec.

Le wagon n'avait subi ni fêlure ni déformation, ce qui montrait l'excellence de sa fabrication. Ce n'était pas la faute de la Compagnie si les contenus s'étaient avérés moins résistants que le contenant.

François déplia un journal. Les titres criaient :

LA GUERRE DES DEUX AMÉRIQUES

———

Les Américains du Sud vont-ils
passer à l'offensive?

———

RIO DE JANEIRO (*de notre correspondant particulier*).
— L'Empereur Noir Robinson, souverain de l'Amérique du Sud, vient d'effectuer un voyage circulaire dans ses États. Malgré la discrétion des milieux officiels, nous croyons pouvoir affirmer que l'Empereur Noir, au cours de ce voyage, aurait inspecté les bases de départ d'une offensive destinée à mettre fin à la « guerre larvée » qui oppose son pays à l'Amérique du Nord.

On ignore de quelle façon se déclenchera cette offensive, mais, de source généralement bien informée, nous apprenons que l'Empereur Robinson aurait déclaré, au retour de son voyage, que « le monde serait frappé de terreur ».

N.D.L.R. — Notre correspondant à Washington signale qu'on se montre très sceptique dans la capitale au sujet d'une prétendue offensive noire. Le pays compte sur ses formidables moyens de défense. Le chef des États du Nord est parti passer le week-end dans sa propriété de l'Alaska.

Au-dessous de l'article, un fouillis de lignes et de points multicolores semblait défier l'œil du lecteur. François Deschamps tira de sa poche la petite loupe à double foyer que les journaux offraient à leurs lecteurs pour le Jour de l'An, et la braqua sur l'étrange puzzle.

A ses yeux apparut alors, se détachant en relief sur la page, l'Empereur Noir, drapé dans une tunique de mailles d'or rouge, ceint d'une couronne sertie de rubis.

Le jeune homme referma sa loupe, et l'Empereur Noir retourna au chaos.

François tourna la page du journal. Un nouvel article attira son attention :

Le professeur Portin explique
les troubles électriques.

————

PARIS. — L'éminent président de l'Académie des Sciences, M. le professeur Portin, vient de communiquer à la docte Assemblée le résultat de ses travaux sur les causes des troubles électriques qui se sont manifestés l'hiver dernier, plus exactement le 23 décembre 2051 et le 7 janvier 2052.

On sait que ces deux jours-là, la première fois à 21 h 30, la tension du courant électrique, quelle que fût la manière dont il fût produit, baissa sur toute la surface du globe, pendant près de dix minutes. Cette baisse, presque insensible en France, fut surtout ressentie à la hauteur de l'Équateur.

M. le professeur Portin a déclaré à ses éminents collègues qu'après six mois de recherches, et après avoir pris connaissance des travaux semblables menés en tous les points du globe sur le même sujet, il en était arrivé à la conclusion suivante : cette crise de

l'électricité qui semblait traduire une véritable altéra-
tion, heureusement momentanée, de l'équilibre intérieur des atomes était due à une recrudescence des
taches solaires. Les taches solaires, ajouta le distingué
savant, sont également la cause de l'accroissement
notable de température que le globe subit depuis
plusieurs années, et de l'exceptionnelle vague de
chaleur dont le monde entier souffre depuis le mois
d'avril...

La nuit cernait de tous côtés les dernières flammes
de l'Ouest. François tira du dossier de son fauteuil le
lecteur électrique et coiffa l'écouteur. La Compagnie
Eurasiatique des Transports avait installé un de ces
appareils sur chaque siège pour permettre aux voyageurs de lire la nuit sans déranger ceux de leurs voisins
qui désiraient rester dans l'obscurité.

Une plaque extensible, que chacun pouvait agrandir
ou rapetisser au format de son livre, s'appliquait sur la
page et, dans l'écouteur, une voix lisait le texte
imprimé. Cette voix, non seulement lisait Goethe,
Dante, Mistral ou Céline dans le texte, avec l'accent
d'origine, mais reprenait ensuite, si on le désirait, en
haut de chaque page, pour en donner la traduction en
n'importe quelle langue. Elle possédait un grand
registre de tons, se faisait doctorale pour les ouvrages
de philosophie, sèche pour les mathématiques, tendre
pour les romans d'amour, grasse pour les recettes de
cuisine. Elle lisait les récits de bataille d'une voix de
colonel, et d'une voix de fée les contes pour enfants.
Au dernier mot de la dernière ligne, elle faisait
connaître par un « hum hum » discret qu'il était
temps de changer la plaque de page.

Cet appareil n'eût pas manqué de paraître miraculeux à un voyageur du XXᵉ siècle égaré dans ce véhicule du XXIᵉ. Le fonctionnement en était pourtant bien simple. La plaque, sensible à l'encre d'imprimerie, était branchée sur un minuscule poste émetteur de télévision installé dans le dossier de chaque fauteuil. Ce poste transmettait automatiquement l'image de la page au Central de Lecture de la Compagnie Eurasiatique des Transports, dans la banlieue de Vienne. Des cloisons insonores divisaient l'immeuble du Central en une dizaine de milliers de minuscules cabines. Dans ces dix mille cabines, devant dix mille écrans semblables, étaient enfermés dix mille lecteurs et lectrices de tous âges et de toutes nationalités.

Des standardistes polyglottes triaient les réceptions, les branchaient par langues sur des sous-standards qui les distribuaient ensuite par genre littéraire. Il ne fallait guère plus de quelques secondes pour que l'image de la page arrivât au lecteur compétent, qui se mettait aussitôt à lire dans le ton dont il était spécialiste. Un tel larmoyait pendant huit heures sur des ouvrages sentimentaux. Telle autre souriait à longueur de journée dans sa solitude, pour lire avec grâce des conseils de beauté.

C'était, en somme, une parfaite mais banale installation de télélecture, comme il en existait environ une dizaine en Europe, à l'usage des vieillards dont la vue baissait, des aveugles, et des solitaires qui désiraient se donner à la fois la compagnie d'un livre ami et celle d'une voix humaine.

François Deschamps disposa la plaque sur son roman policier et tourna, sur l'écouteur, le minuscule bouton qui mettait l'appareil en marche. Une voix dramatique murmura à son oreille :

« Chapitre premier. — L'inspecteur Walter enfonça
la porte d'un coup d'épaule et s'arrêta stupéfait : à un
clou du plafond pendait, intact, le menton soulevé par
la corde, le cadavre de M. Lecourtois qu'il avait
découvert, la veille, décapité... »

Le jeune homme renonça à connaître l'explication
de ce mystère. Il ôta l'écouteur et s'endormit.

Le train entrait en gare de Lyon-Perrache.

Les studios de Radio-300 étaient installés au 96ᵉ
étage de la Ville Radieuse, une des quatre Villes
Hautes construites par Le Cornemusier pour décon-
gestionner Paris. La Ville Radieuse se dressait sur
l'emplacement de l'ancien quartier du Haut-Vaugi-
rard, la Ville Rouge sur l'ancien Bois de Boulogne, la
Ville Azur sur l'ancien Bois de Vincennes, et la Ville
d'Or sur la Butte-Montmartre.

Des bâtiments qui couvraient jadis celle-ci, seul
avait été conservé le Sacré-Cœur, ce spécimen si
remarquable de l'architecture du début du XXᵉ siècle,
chef-d'œuvre d'originalité et de bon goût. Délicate-
ment et respectueusement cueilli, il s'était trouvé
transporté, tout entier, dans un petit coin de la
terrasse du gratte-ciel. Juché au bord de l'abîme, il
dominait la capitale de plus d'un demi-kilomètre. Les
avions bourdonnaient autour de ses coupoles, atterris-
saient à ses pieds. Le premier et le dernier rayon du
soleil doraient ses pierres grises. Souvent, des nuages
estompaient ses formes, le séparaient de la terre et
l'isolaient en plein ciel, sa vraie patrie. Il paraissait

d'autant plus beau que les brumes le dissimulaient davantage.

Quelques érudits, amoureux du vieux Paris, se sont penchés sur les souvenirs du Montmartre disparu, et nous ont dit ce qu'était cet étrange quartier de la capitale. A l'endroit même où devait plus tard s'élancer vers le zénith la masse dorée de la Ville Haute, un entassement de taudis abritait autrefois une bien pittoresque population.

Ce quartier sale, malsain, surpeuplé, se trouvait être, paradoxalement, le « lieu artistique » par excellence de l'Occident.

Les jeunes gens qui, à Valladolid, Munich, Gênes ou Savigny-sur-Braye, sentaient s'éveiller en eux la passion des Beaux-Arts savaient qu'il se trouvait une seule ville au monde et, dans cette ville, un seul quartier — Montmartre — où ils eussent quelque chance de voir s'épanouir leur talent.

Ils y accouraient, sacrifiaient considération, confort, à l'amour de la glaise ou de la couleur. Ils vivaient dans des ateliers, sortes de remises ou de greniers dont les vitres fêlées remplaçaient un mur, parfois le plafond. Autour d'eux s'amoncelaient tableaux inachevés, toiles déchirées, tubes vides, papiers froissés, lambeaux de vêtements, et toutes sortes de débris. Ces malheureux artistes ne s'arrachaient au désordre et à la crasse de leurs logis que pour se précipiter dans des débits de boissons. La faim, l'alcool entretenaient en eux le délire artistique. Dans les cafés, dans les rues encaissées où régnaient des odeurs moyenâgeuses, ils côtoyaient les malfaiteurs et les femmes de mauvaise vie qui constituaient l'autre moitié de la population de Montmartre. Graines mêlées au fumier, la plupart d'entre eux pourrissaient, mais quelques-uns semblaient tirer de l'infection un aliment fabuleux, et fleurissaient en des chefs-d'œuvre que les collectionneurs venaient cueillir au bout de leurs carnets de chèques.

Ce vieux quartier fut rasé. Un peuple d'architectes et de compagnons édifia la Ville d'Or. Dans le même temps, un gouvernement ami de l'Art et de l'ordre donnait un statut aux artistes si longtemps abandonnés à l'anarchie.

L'étage supérieur de la Ville d'Or leur fut réservé, des appartements pourvus du dernier confort mis à leur disposition. Pour s'y installer, pour recevoir à profusion toiles, couleurs, glaise, il suffisait de passer un examen devant un jury composé des artistes les plus éminents des diverses Académies d'Europe.

Ceux qui satisfaisaient à l'examen s'installaient dans la Ville d'Or et recevaient pendant six ans une rente confortable. Les artistes, débarrassés des soucis matériels, connurent enfin cette tranquillité d'esprit indispensable à tout travail sérieux.

Ils manièrent pinceau et ciseau d'une main apaisée, reconnurent les véritables maîtres, renoncèrent aux recherches inutiles, ne discutèrent plus les saines traditions académiques.

Les peintres quittaient la Ville d'Or après avoir subi un dernier examen. Il leur donnait le droit d'inscrire leurs titres sur une plaque, à leur porte :

« Ancien interne de la Ville d'Or. Diplômé par le Gouvernement. »

En même temps qu'ils organisaient en commun l'institution parisienne, les gouvernements d'Europe s'étaient livrés à une intense propagande pour l'Art dans la masse de leurs peuples. Les peintres diplômés qui s'établissaient dans un quartier bourgeois, ouvrier ou commerçant voyaient accourir la clientèle. Il ne se trouvait pas un ménage qui ne désirât posséder dans sa salle à manger quelque nature morte, une marine au-dessus de son lit et le portrait du dernier-né entre les deux fenêtres du salon. Pour éviter toute spéculation, la corporation des peintres fixait le prix de vente des tableaux d'après leurs dimensions.

Les nouveaux chefs-d'œuvre ne se trouvaient plus enfermés stupidement dans les musées, loin des regards de la foule. L'Art était devenu populaire. Un tableau garanti par le gouvernement ne coûtait pas plus cher qu'une paire de draps.

Les peintres non diplômés gardaient le droit de peindre, mais non celui de vendre. Quelques-uns s'y risquaient. La corporation les poursuivait pour exercice illégal de la peinture.

Le dernier carré de ces dissidents, condamnés à mourir de faim, habitait Montparnasse.

La Ville Radieuse dominait ce quartier de sa masse blanche. Son dernier étage abritait tous les postes d'émission de la capitale.

M. Pierre-Jacques Seita en avait profité pour baptiser le sien Radio-300 parce qu'il dominait de trois cents mètres les toits de Paris. Les malveillants prétendaient que 300 représentait le nombre de millions que ce poste rapportait chaque mois à son propriétaire. Le monde entier captait ses émissions de télévision en relief et couleurs naturelles, et son budget de publicité atteignait des sommes si considérables que les malveillants se trouvaient sans doute bien au-dessous de la vérité.

Pierre-Jacques Seita avait nommé son fils Jérôme directeur artistique de Radio-300. Jérôme possédait son appartement à côté du studio, et son aérodrome personnel sur le toit de la Ville Radieuse.

Ce soir-là, assis, tout seul, dans son bureau privé, il assistait à la répétition du gala que le poste préparait pour le lancement d'une nouvelle vedette.

L'écran occupait toute la surface d'un des murs du bureau. La deuxième partie du spectacle allait commencer. Le mur devint translucide, transparent, aérien, disparut. Un parfum de foin coupé envahit la pièce. Une perspective de jardins à la française s'étendit jusqu'à l'horizon. C'était le parc de Versailles, dont l'architecture séculaire s'ornait des cent vingt-sept statues de douze mètres de haut nouvellement installées parmi ses arbres taillés et ses allées. Ces statues, dues au génie du maître Petitbois, représentaient autant de gloires de la science. Coulées en plastec caméléon, elles changeaient de teinte, selon l'heure du jour, ou l'angle sous lequel on les regardait, et s'harmonisaient entièrement avec le paysage. Il n'était plus possible de supporter, après les avoir vues, le reflet blême des marbres parmi le vert des pelouses et le bleu ciel des pièces d'eau. Les anciennes statues furent arrachées. La technique du plastec avait permis de pousser très loin l'imitation de la nature, objet suprême de l'Art. Le sculpteur ne se bornait plus à reproduire les formes extérieures. En s'approchant d'un de ces chefs-d'œuvre, l'œil pouvait apercevoir, dans la matière translucide, tout le squelette, les réseaux sanguin et nerveux, l'entortillement intestinal. La plus belle de ces statues, deux fois plus haute que les autres, représentait l'Intelligence. Elle ouvrait les bras vers l'horizon, semblait vouloir presser sur ses seins d'un mètre de rayon tous ces hommes qu'elle avait animés. Un système d'ondes ultra-courtes faisait vivre son réseau nerveux et son tube digestif. Une hirondelle frôlait-elle en passant ses charmes majestueux, les joues de la statue rougissaient. Deux fois par jour, un fonctionnaire, monté sur une échelle, enfournait dans sa bouche gigantesque vingt kilos de pain, cinquante kilos de viande et un hectolitre de vin rouge. Chacun pouvait suivre, à l'intérieur de cette merveille de l'Art et de la science, tout le travail de la digestion, de l'œsophage au cæcum.

La nuit venue, le jardin fermé, une équipe de gardes, traînant une tinette et armés de jets d'eau, venait faire faire les petits besoins et nettoyer les dessous de l'Intelligence.

Jérôme Seita claqua des doigts. Le spectacle commença. Dans un grand frémissement d'orchestre, d'énormes flocons blancs et roses neigèrent du ciel. C'étaient des angelots aux ailes touffues. Ils se mirent à danser, à voleter, innombrables, parmi les pelouses et les bosquets. Des danseuses en tutu jaillirent des miroirs d'eau. Une troupe de faunes en redingote surgit des socles des statues, courut vers les danseuses qui s'enfuirent avec des cris et des rires.

Au milieu de ce paysage animé s'avançaient dans la grande avenue, deux à deux, noués par le petit doigt, mille courtisans à perruques et tout autant de marquises poudrées. Ils dansaient avec un gracieux ensemble trois pas de menuet, s'arrêtaient, s'inclinaient, recommençaient. L'air sentait la bergamote et la peau d'Espagne. Sur un accord décidé de l'orchestre, les couples s'effacèrent de chaque côté de l'allée.

Du fond de l'horizon arriva un char romain traîné par trente-six chevaux blancs. Le char transportait une immense perruque qui émettait une lumière éblouissante. Les marquises lui jetèrent des baisers du

bout de leurs doigts roses, et les marquis, tirant leur
épée de cour, la brandirent vers le ciel, et crièrent tous
à la fois : « Vive le Roi-Soleil ! »

Tout aussitôt les marquis se trouvèrent transformés
en vieillards chauves, vêtus de complets-veston gris.
Leur main droite, au lieu de l'épée, brandissait un
carré de papier. Les marquises avaient disparu. Les
vieillards, la tête haute, la barbiche pointée en avant,
scandaient un chœur parlé :

> *Nous ve-nons d'é-d'é*
> *Nous ve-nons d'é-lir'*
> *Le pré-pré-si-dent*
> *De la Ré-pu-blic'*

Une odeur de vieux cigare et de naphtaline remplaçait la bergamote.

Les chevaux blancs étaient devenus noirs, et la
perruque-soleil avait cédé la place à un immense
chapeau haut de forme. Le char s'avançait entre les
deux haies de vieillards, et le chapeau saluait, s'inclinait à gauche, s'inclinait à droite...

Après quelques autres numéros non moins symboli-
ques, qui devaient transporter le spectateur à travers
toutes les époques du génie français, le spectacle se
terminait par une rétrospective des défilés militaires.
Derrière l'Arc de Triomphe lointain, la masse de la
Ville Azur se détachait sur un ciel pourpre. Le soleil
illuminait les Champs-Élysées que descendaient des
troupes vêtues de tous les uniformes de l'armée
française. Il y eut les guerriers moustachus de Vercin-
gétorix, les croisés au visage de fer, les grognards de
Napoléon, l'armée en pantalons rouges de 1914, et,
enfin, resplendissants sous le soleil, les soldats de

l'armée moderne, portant fièrement la cotte de mailles antirayons et le casque à antennes.

Chaque troupe descendait l'avenue au son d'une marche héroïque, sortait du mur dans un tonnerre de tambour, et se fondait dans l'invisible. Elle laissait derrière elle, au milieu du bureau, l'odeur enivrante de la poudre.

Les derniers commencèrent, à mi-chemin, avec des gestes parfaitement synchronisés, à se défaire des pièces de leur uniforme. Parvenus à quelques mètres, ils ne portaient plus que le casque et une feuille de vigne. Ces valeureux soldats s'étaient transformés en fort belles filles. Elles continuèrent d'avancer, se déployèrent en ligne. L'illusion de leur présence était si forte que Seita tendit la main pour caresser une douce hanche. Mais ses doigts passèrent au travers.

Avec un ensemble parfait, les girls firent demi-tour, montrèrent leurs fesses peintes en tricolore. C'était l'apothéose.

La télévision en relief et couleurs naturelles promenait ainsi, chaque soir, dans tous les foyers du monde, quelques belles filles nues. Ces spectacles hâtaient la pousse des adolescents, favorisaient les relations conjugales et prolongeaient les octogénaires.

Jérôme Seita se leva, fit un signe. Les vives couleurs pâlirent, l'horizon se rapprocha, colla au mur où il s'éteignit. La surface mate de l'écran se matérialisa pendant que, sans bruit, un rideau de velours vert pâle descendait du plafond.

La pièce était entièrement tendue du même velours, meublée d'un bureau massif de plastec opaque couleur d'acajou, de trois fauteuils grenat, et d'une table basse. Sur la table, une gerbe de roses sombres jaillissait d'un vase de Venise. La lumière tombait du

plafond, tout entier lumineux. Le mur de gauche, en
verre épais, s'ouvrait sur l'infini. Très bas, grouillaient les lumières de Paris. Tous les quarts d'heure,
un éclair tournait sur la ville : le signal horaire émis
par la Ville Rouge.

Jérôme Seita vint s'asseoir devant son bureau. Il
portait un costume en tissu d'azote, léger comme l'air
dont il était tiré. L'évolution qui avait fait abandonner, petit à petit, au cours des siècles, tous les
ornements inutiles du costume semblait avoir porté
celui-ci à la perfection dans la simplicité. Les formes
des vêtements féminins et masculins s'étaient rappro-
chées jusqu'à se confondre. Plus de vestons, plus de
jupes, plus de lacets, de bretelles, de fixe-chaussettes
ridicules, plus de corsages, plus de bas fragiles.
Depuis la semelle en demi-plastec souple et inusable,
jusqu'au col qui enfermait le cou ou dégageait la
poitrine, selon la mode, le costume des temps nouveaux, sans un centimètre carré de tissu inutile, collait
au corps qu'il entourait comme une gaine.

Une fermeture éclair, une des rares inventions du
XXe siècle à laquelle le XXIe n'eut pas besoin d'apporter
d'amélioration, permettait de le mettre ou de le quitter
en une seconde. La fermeture magnétique était également beaucoup employée : les bords des tissus,
enduits d'une couche d'acier aimanté, adhéraient l'un
à l'autre quand on les rapprochait.

Hommes et femmes, vêtus des mêmes combinaisons pratiques, se distinguaient par les couleurs. Pour
obéir sans doute à cette loi de la nature qui pare
toujours les mâles plus que les femelles, fait le coq
rutilant et la poule grise, une habitude s'était peu à
peu établie d'employer les couleurs vives pour les
vêtements des hommes et les couleurs sombres pour

ceux des femmes. Jérôme Seita portait ce soir-là une
combinaison d'un rouge éclatant qui s'ornait au col,
sur la poitrine, à la taille et le long des cuisses
jusqu'aux chevilles, d'appliques vert tendre, sous
lesquelles se dissimulaient les fermetures magnétiques.

Assis à son bureau, il le dépassait d'un maigre
buste. Les meubles massifs qui garnissaient la pièce ne
paraissaient pas à son échelle. C'était un homme de
courte taille. Assis ou debout, il dressait la tête avec
une assurance qui ne faiblissait jamais. Il était coiffé et
rasé selon la mode inspirée par une récente rétrospective du cinéma américain. Une raie médiane séparait
ses cheveux très noirs, collés, et sous son nez pointu
une moustache filiforme dessinait une mince accolade.

Sa bouche aux lèvres minces souriait rarement. Le
sourire appartient aux enfants, et aux hommes qui
leur ressemblent. Pour ceux dont l'esprit est occupé
de choses d'importance, sourire est du temps perdu.

Ses yeux ronds et son front lisse eussent pu faire
croire qu'il existait en lui une certaine naïveté, mais sa
voix tendue comme ses muscles dorsaux faisait vite
oublier l'apparence candide du haut de son visage.

Il appela :

— Dubois !

Une voix soumise lui répondit :

— Monsieur ?

— Dites à Mlle Rouget de venir me voir.

Le claquement sec d'un timbre de bois indiqua que
l'invisible secrétaire avait entendu l'ordre et l'exécu-
tait.

Quelques minutes après, le timbre crépita.

— Oui ?... dit Seita.

— Mlle Rouget est là, monsieur.

— Faites entrer.

Une porte s'ouvrit. Une jeune fille entra. Le printemps entrait avec elle.

Seita se hâta vers sa visiteuse, lui prit les deux mains et, sans mot dire, les baisa.

Elle portait encore son costume de scène, un costume de l'an 2000, jupe courte, pantalon de soie bouffant serré aux chevilles, corsage très décolleté. Elle avait nettoyé rapidement son maquillage. Ses joues, échauffées par l'ardeur de la répétition, resplendissaient d'émotion et de santé. Elle était blonde, rose et dorée de peau comme une enfant qui a longtemps joué au soleil. Ses grands yeux bleus brillaient de joie. Ses cheveux nattés et roulés la couronnaient d'or.

Seita la conduisit jusqu'à un fauteuil et la pria de s'asseoir.

— Je vous ai fait venir, dit-il, pour vous faire savoir combien je suis satisfait.

Il parlait sur le ton un peu trop aigu qu'il employait toujours, qu'il s'adressât à son valet de chambre, à vingt collaborateurs réunis, ou à quelque ministre. Il marchait de long en large, une main dans le dos, de l'autre se caressait le menton, ou soulignait, trois doigts en l'air, un mot.

— Je suis persuadé que votre lancement sera sensationnel. Je me félicite de vous avoir découverte. Jamais la radio n'aura connu pareille vedette. Vous chantez comme un rossignol, vous dansez comme une déesse et vous êtes encore plus belle à l'écran qu'au naturel... bien que cela paraisse invraisemblable, ajouta-t-il en s'inclinant légèrement.

Il s'arrêta devant elle, les deux mains au dos, et s'enquit :

— J'espère que vous n'êtes pas trop fatiguée par la répétition ?

— Un peu, mais je suis si contente !

La voix de la jeune fille était lumineuse et chaude comme cette joie qu'elle exprimait. Seita en subit le charme. Un sourire se dessina sous l'arabesque de sa moustache. Il s'approcha, se pencha vers le fauteuil où sa nouvelle vedette reposait comme dans un écrin.

— Grâce à vous, dit-il d'une voix plus basse, Radio-300 va connaître un nouveau triomphe...

Des épaules nues, des bras ronds de l'adolescente montaient une lumière et un parfum de moisson. Dans leur nid de dentelles, ses deux seins semblaient deux pigeons blottis.

Seita fit un effort pour se redresser, s'éloigner d'un pas, les veines du front un peu gonflées, les tempes battantes. Il se racla le gosier, reprit :

— Je crois que votre pseudonyme plaira. Blanche Rouget, ce n'était vraiment pas un nom possible pour une vedette. Tandis que Regina Vox ! Cela a de l'allure, et, depuis deux semaines, nous prononçons ce nom dans toutes les oreilles du monde. Vous serez la reine de l'éther... Pour fêter votre baptême, je vous emmène demain soir dîner en Écosse. Qu'en pensez-vous ?

Elle se leva. Elle le dépassait du front. Il eut une envie terrible de prendre dans ses deux mains sa taille fine. Il entendait à peine ce qu'elle lui répondait. Il la mangeait des yeux, il s'emplissait le corps de son image. Elle était à cet âge de la pleine pousse où se dessinent déjà les formes épanouies de la femme à qui toute chair est venue, et où le ventre plat, la taille fragile, les cuisses dures rappellent encore la fillette dansante.

— Je suis navrée, monsieur Seita, disait-elle, mais demain soir, c'est impossible. Je dois dîner avec François Deschamps, un ami d'enfance qui rentre cette nuit de mon pays, de notre pays.

— Je regrette... C'est dommage... Mais voyons, après-demain, vous serez peut-être libre ?

— Après-demain ? Oui.

— Eh bien, alors, disons après-demain. C'est d'accord ?

— Après-demain, c'est entendu.

D'un air indifférent, Seita demanda :

— Que fait-il votre ami, comment dites-vous... François, François comment ?

— François Deschamps. Il s'est présenté il y a deux mois au concours d'entrée de l'École supérieure de Chimie agricole. Ils étaient plus de deux mille candidats pour trois cents places. Les résultats doivent être proclamés dans quelques jours. François rentre justement à Paris pour les connaître. Malgré la grande concurrence, il espère bien être reçu. Après son concours, il est allé passer quelque temps chez nous, en Provence, et il va me donner des nouvelles fraîches de mes parents. J'ai hâte de le voir. Il ignore tout de mon entrée chez vous. Il croit que je continue à suivre mes cours à l'École nationale féminine. J'espère qu'il ne se fâchera pas. Il est un peu comme mon grand frère. Il a cinq ans de plus que moi...

— Vos parents non plus ne savent rien ?

— Non, mais je crois que tout le monde sera très heureux de mon succès.

— Vous pouvez en être persuadée. Le succès fait tout pardonner.

Je n'ai malheureusement pas le temps de vous

raccompagner chez vous, ajouta-t-il. Je vous prie de m'excuser.

Il la reconduisit jusqu'à la porte et revint droit à son bureau.

— Dubois, dit-il, cette nuit arrive de Provence un nommé François Deschamps, étudiant. Il habite Montparnasse. Il est âgé de vingt-deux ans. Je veux, demain matin, savoir exactement tout ce qu'il est possible de savoir sur ce garçon.

Un claquement sec du timbre lui répondit.

Blanche, ayant revêtu son costume de ville, d'un gris tendre orné de bleu pastel, prit l'ascenseur rapide, et s'arrêta au premier étage, à la hauteur de l'autostrade sur pilotis. Le rez-de-chaussée, le sol étaient réservés aux piétons et aux jardins.

Elle monta dans un électrobus, le 259, qui menait au Quartier Latin, et descendit au coin de la rue du Four. Elle occupait là, au deuxième étage d'une des vieilles maisons de pierre de taille qui subsistaient en grand nombre dans ce quartier, une petite chambre meublée à l'ancienne, d'un lit de fer, d'une armoire en noyer, de trois chaises cannées, et d'un adorable petit bureau 1930 en bois blanc, du plus pur style Prisunic. Elle avait ajouté à ce décor charmant quelques menus bibelots désuets : un réveille-matin à ressort, une lampe de chevet à ampoule de verre, un thermomètre à mercure, aux murs trois vieilles photos plates et grises. Elles représentaient, l'une sa grand-mère, la seconde un gazomètre, la troisième le cuirassé *Strasbourg*.

Comme elle entrait dans sa chambre, la sonnerie du téléphone l'accueillit. Elle courut vers son bureau,

appuya sur un bouton blanc. Une glace à cadre de
rocaille, posée près de ses livres, s'éclaira. Le visage de
François Deschamps y apparut, les yeux se fixèrent
sur elle, un grand sourire découvrit des dents écla-
tantes.

— Eh bien, ma Blanchette, dit-il, d'où viens-tu ?
Voilà cinq minutes que je te sonne ! Pas encore
couchée, à une heure pareille ? Je vois qu'il était temps
que je revienne. Tu commences à te dévergonder !

— Dis donc, toi, grand gendarme, tu ferais mieux
de me donner des nouvelles du pays. Où es-tu ? Tu
arrives ?

— Oui, je te téléphone de la gare. Tout le monde va
bien là-bas. Tout le monde t'embrasse. Tiens...

Il avança les lèvres et fit un bruit de baisers. Il
reprit :

— Alors, je t'attends demain soir, chez moi, à sept
heures. Entendu ?

— Entendu.

— Bonne nuit, ma Blanchette.

— Bonne nuit...

La glace s'éteignit. L'image qui venait de s'effacer
continuait à vivre dans les yeux de la jeune fille. Le
grand front bombé surmonté de cheveux noirs coupés
court, raides comme un chaume, les yeux brillants,
couleur de noisette, le nez droit, les narines grandes
ouvertes, la large bouche, le menton solide se déplaçaient avec son regard, se promenaient sur les murs,
parmi les meubles, au plafond.

Blanche leur adressa un gentil sourire, et commença
de se dévêtir.

La Gare centrale, creusée au-dessous du Jardin des Tuileries et du Palais du Louvre, desservait tous les réseaux. François monta par l'ascenseur de l'arc de triomphe du Carrousel. Son estomac vide lui criait qu'il était urgent de s'attabler devant quelque nourriture. Il décida d'aller faire un repas rapide à la Brasserie 13, boulevard Saint-Germain. Il n'avait que la Seine à traverser. Il prit la passerelle qui permettait aux piétons de passer au-dessus des quais, réservés aux autos.

Un énorme courant de voitures roulait sur la chaussée lumineuse. Le plastec luminescent, qui remplaçait les pavés et le bitume triste, renvoyait en douce lueur la lumière qu'il avait absorbée pendant la journée. Les autos circulaient phares éteints sur cette voie claire. Du haut de la passerelle, François voyait leurs silhouettes noires se dépasser, se croiser, sur le sol couleur de lune.

La température s'était à peine abaissée. François transpirait. Sa valise pesait au bout de son bras. D'innombrables barquettes de plaisance, à moteurs électriques, ronronnaient sur la Seine. Leurs lanternes d'ornement et leurs feux de bord composaient un ballet multicolore dont le reflet tremblait dans l'eau.

Le boulevard Saint-Germain était un fleuve de feu. Interdit aux autos, il offrait aux promeneurs la tentation de mille boutiques illuminées. Restaurants, cinémas, salles de télévision, magasins de vente de toutes marchandises se succédaient dans un déluge de lumières fixes ou palpitantes. Comme chaque soir, un peuple dense coulait lentement d'une lumière à l'autre, emplissait le boulevard d'un bruit épais et de ce mélange de mille odeurs qui est l'odeur de la foule.

François poussa la porte de la Brasserie 13, trouva une table vide près d'un palmier nain, et s'assit. Un garçon surgit, posa d'autorité devant lui un plat fumant. Il était de tradition, dans cet établissement, de manger le bifteck-frites, et tout client s'en voyait automatiquement servir une généreuse portion.

François mangea de bon appétit. Fils de paysan, il préférait les nourritures naturelles, mais comment vivre à Paris sans s'habituer à la viande chimique, aux légumes industriels ?

L'humanité ne cultivait presque plus rien en terre. Légumes, céréales, fleurs, tout cela poussait à l'usine, dans des bacs.

Les végétaux trouvaient là, dans de l'eau additionnée des produits chimiques nécessaires, une nourriture bien plus riche et plus facile à assimiler que celle dispensée chichement par la marâtre Nature. Des ondes et des lumières de couleurs et d'intensité calculées, des atmosphères conditionnées accéléraient la croissance des plantes et permettaient d'obtenir, à l'abri des intempéries saisonnières, des récoltes continues, du premier janvier au trente et un décembre.

L'élevage, cette horreur, avait également disparu.

Élever, chérir des bêtes pour les livrer ensuite au couteau du boucher, c'étaient bien là des mœurs dignes des barbares du xxᵉ siècle. Le « bétail » n'existait plus. La viande était « cultivée » sous la direction de chimistes spécialistes et selon les méthodes, mises au point et industrialisées, du génial précurseur Carrel, dont l'immortel cœur de poulet vivait encore au Musée de la Société protectrice des animaux. Le produit de cette fabrication était une viande parfaite, tendre, sans tendons, ni peaux ni graisses, et d'une grande variété de goûts. Non seulement l'industrie offrait au consommateur des viandes au goût de bœuf, de veau, de chevreuil, de faisan, de pigeon, de chardonneret, d'antilope, de girafe, de pied d'éléphant, d'ours, de chamois, de lapin, d'oie, de poulet, de lion et de mille autres variétés, servies en tranches épaisses et saignantes à souhait, mais encore des firmes spécialisées, à l'avant-garde de la gastronomie, produisaient des viandes extraordinaires qui, cuites à l'eau ou grillées, sans autre addition qu'une pincée de sel, rappelaient par leur saveur et leur fumet les préparations les plus fameuses de la cuisine traditionnelle, depuis le simple bœuf miroton jusqu'au civet de lièvre à la royale.

Pour les raffinés, une maison célèbre fabriquait des viandes à goût de fruit ou de confiture, à parfum de fleurs. L'Association chrétienne des abstinents, qui avait pris pour devise : « Il faut manger pour vivre et non pas vivre pour manger », possédait sa propre usine. Afin de les aider à éviter le péché de gourmandise, elle y cultivait pour ses membres une viande sans goût.

La Brasserie 13 n'était qu'une succursale de la célèbre usine du bifteck-frites, qui connaissait une grande prospérité. Il n'était pas une boucherie parisienne qui ne vendît son plat populaire. Le sous-sol de la Brasserie abritait l'immense bac à sérum où plongeait la « mère », bloc de viande de près de cinq cents tonnes.

Un dispositif automatique la taillait en forme de cube, et lui coupait, toutes les heures, une tranche gigantesque sur chaque face. Elle repoussait indéfiniment. Une galerie courait autour du bac. Le dimanche, le bon peuple consommateur était admis à circuler. Il jetait un coup d'œil attendri à la « mère » et remontait à la brasserie en déguster un morceau, garni de graines de soja géant coupées en tranches, et frites à l'huile de houille. La fameuse bière 13, tirée de l'argile, coulait à flots.

François, son bifteck achevé, se fit servir une omelette et un entremets au lait.

Il ne serait pas venu à l'idée des Européens du XXe siècle de manger des fœtus de mouton ou des veaux mort-nés. Ils dévoraient pourtant des œufs de poules. Une partie de leur nourriture dépendait du derrière de ces volatiles. Un procédé analogue à celui de la fabrication des viandes libéra l'humanité de cette sujétion. Des usines livrèrent le jaune et le blanc d'œuf, séparés, en flacons. On ne commandait plus une omelette de six œufs, mais d'un demi-litre.

Quant au lait, sa production chimique était devenue si abondante que chaque foyer le recevait à domicile, à côté de l'eau chaude, de l'eau froide et de l'eau glacée, par canalisations. Il suffisait d'adapter au robinet de lait un ravissant petit instrument chromé pour obtenir, en quelques minutes, une motte d'excellent beurre. Toute installation comportait un robinet bas, muni d'un dispositif tiédisseur, auquel s'ajustait une tétine. Les mères y alimentaient leurs chers nourrissons.

François Deschamps, restauré, prit le chemin de son domicile. Montparnasse sommeillait, bercé d'un océan de bruits. L'air, le sol, les murs vibraient d'un bruit continu, bruit des cent mille usines qui tournaient nuit et jour, des millions d'autos, des innombrables avions qui parcouraient le ciel, des panneaux hurleurs de la publicité parlante, des postes de radio qui versaient par toutes les fenêtres ouvertes leurs chansons, leur musique et les voix enflées des speakers. Tout cela composait un grondement énorme et confus auquel les oreilles s'habituaient vite, et qui couvrait les simples bruits de vie, d'amour et de mort des vingt-cinq millions d'êtres humains entassés dans les maisons et dans les rues.

Vingt-cinq millions, c'était le chiffre donné par le dernier recensement de la population de la capitale. Le développement de la culture en usine avait ruiné les campagnes, attiré tous les paysans vers les villes, qui ne cessaient de croître. A Paris sévissait une crise du logement que la construction des quatre Villes Hautes n'avait pas conjurée. Le Conseil de la ville avait décidé d'en faire construire dix autres pareilles.

Pendant les cinquante dernières années, les villes avaient débordé de ces limites rondes qu'on leur voit sur les cartes du XXe siècle. Elles s'étaient déformées, étirées le long des voies ferrées, des autostrades, des cours d'eau. Elles avaient fini par se rejoindre et ne formaient plus qu'une seule agglomération en forme de dentelle, un immense réseau d'usines, d'entrepôts, de cités ouvrières, de maisons bourgeoises, d'immeubles champignons.

Les anciennes cités, placées au carrefour de cette

ville-serpent, gardaient leurs noms antiques. Les villes nouvelles, divisées en tronçons d'égale longueur, avaient reçu en baptême un numéro, dont les chiffres étaient déterminés par leur situation géographique.

Entre ces villes-artères, la nature retournait à l'état sauvage. Une mer de buissons avait envahi les campagnes abandonnées, bouché les sentiers, recouvert les ruines des anciens habitats inconfortables. Dans cette brousse subsistaient quelques oasis de champs cultivés auxquels s'accrochaient des paysans obstinés.

Une partie de la France avait échappé à cette évolution. En effet, une plante restait rebelle à la culture en bacs : la vigne. De même, l'état de la technique ne permettait pas encore de cultiver les arbres fruitiers en usine. Si bien que le midi de la France, devenu un immense verger, produisait des fruits pour le reste du continent. La vallée du Rhône s'était couverte de serres chauffées et éclairées électriquement, où mûrissaient tous les fruits en toutes saisons. La Provence du Sud-Est, par contre, lente à se laisser pénétrer par le progrès, cultivait encore à l'air libre. Les paysans en profitaient pour faire pousser à l'ancienne mode, en même temps que la poire et la cerise, du blé et d'autres céréales. Ils pétrissaient leur pain eux-mêmes, élevaient poules, vaches et cochons, se cramponnaient au passé tout simplement parce qu'ils préféraient dépenser beaucoup de peine plutôt qu'un peu d'argent.

Du Rhône à l'Atlantique, le Sud-Ouest s'était vêtu d'une pellicule brillante, faite d'innombrables serres sous lesquelles des vignes forcées donnaient trois vendanges par an. De là, un océan de vin coulait sur l'Europe.

A part ces régions, dont le progrès n'avait pas

encore libéré les habitants, les campagnes se trouvaient complètement désertées.

Dans les trous de la Ville Dentelle, la forêt vierge
renaissait.

François Deschamps et Blanche Rouget étaient nés
tous deux à Vaux, un de ces petits villages de haute
Provence obstinément accrochés à des traditions péri-
mées. Leurs parents labouraient encore avec des
charrues tirées par des chevaux, et attendaient passi-
vement que le soleil eût mûri les amandes et les olives
que la grêle, le gel, le vent et les insectes avaient bien
voulu épargner, pour recueillir une maigre récolte.
Aussi avaient-ils rêvé pour leurs enfants d'un sort
différent du leur. La présence à Paris de Blanche et de
François était le résultat de ces ambitions paternelles.
François arrivait au terme de difficiles études. Blanche
avait passé par la filière de l'enseignement féminin, et
suivait depuis six mois les cours de l'École nationale
féminine, qui préparait, physiquement, moralement
et intellectuellement, des mères de famille d'élite.

En l'absence de son ami d'enfance, elle s'était
amusée à participer au concours de Radio-300. Elle
avait dansé, chanté, souri, parlé, s'était déshabillée,
étirée, accroupie, couchée, devant un jury composé
d'yeux électriques, de microphones sélectionneurs, de
planchers rythmographes et de vingt autres appareils
incorruptibles. Ces juges intègres l'avaient estimée
supérieure en tout point à une foule de concurrentes.
Seita l'avait engagée aussitôt. Le spectacle était prêt,
n'attendait plus qu'elle. Elle répétait depuis deux
semaines. Tout cela s'était fait si vite qu'elle y croyait
à peine, et n'avait osé en informer ni ses parents ni
François.

Ses relations avec le grand garçon étaient encore

fraternelles. Il y avait si peu de temps que Blanche avait perdu ses joues creuses et sa poitrine plate de gamine ! Mais leurs parents et leur village les considéraient comme promis. Eux-mêmes ne s'en étaient jamais rien dit.

François se coucha ce soir-là l'impatience au cœur. Il avait éprouvé une grande joie à retrouver le visage de sa Blanchette dans la glace du téléphone. Il avait hâte de la revoir, en chair et en os.

Une photo en relief de la jeune fille pendait au mur, près de son lit. Il envoya un baiser aux lèvres roses, éteignit sa lampe et s'allongea dans son lit. C'était un vieux divan à une place. Les pieds de François en dépassaient le bout.

Le lendemain matin, le soleil se leva encore plus chaud que la veille. Depuis plus de deux mois, Paris n'avait pas reçu une goutte de pluie. L'après-midi, une telle chaleur montait du sol que les Parisiens évitaient de sortir, sauf s'ils s'y trouvaient obligés. La capitale vivait derrière ses volets.

Les Villes Hautes ne subissaient pas les effets de cette canicule. Leurs murs de façade étaient en verre, mais clos, sans fenêtres. A l'intérieur circulait un air dépoussiéré, oxygéné, dont la température variait selon le désir de chaque locataire. Il suffisait de déplacer une manette sur un minuscule cadran pour passer en quelques secondes de la chaleur de l'équateur à la fraîcheur de la banquise.

Jérôme Seita, le front au mur transparent de son bureau, contemplait Paris. De tous côtés, jusqu'au fond plat de l'horizon, rampait le troupeau infini des maisons. La ville semblait écrasée au sol, laminée par le poids de la tristesse et de la fumée des siècles. Ses toits formaient une croûte écailleuse coupée par les rues et les avenues comme par des cicatrices. Des fumées montaient, retombaient lentement, se mêlaient en un brouillard qui capitonnait la capitale.

Les vieux autogires du Service de l'Atmosphère commençaient à circuler. Ils s'arrêtaient aux carrefours, sur les pâtés de maisons, crachaient un petit nuage de vapeurs antiseptiques, repartaient, recommençaient cent mètres plus loin.

Plus haut, c'était l'intense circulation aérienne qu'un sens giratoire obligatoire faisait tourner au-dessus de Paris comme un vol de rapaces. Un décret interdisait aux véhicules de voler au-dessus de la capitale à moins de huit mille mètres, sauf pour atterrir. A cette altitude, ils étaient presque invisibles. Mais à chaque instant on en voyait qui descendaient comme des araignées au bout de leur fil, pour gagner des terrasses d'atterrissage, tandis que d'autres s'envolaient comme des alouettes.

Les bolides bleus de la police de l'air circulaient en tous sens, pointaient vers les avions qui s'attardaient à basse altitude la double antenne émettrice de leur appareil à contraventions.

Jérôme Seita avança les lèvres, et lissa du bout de son index son filet de moustache. A petits pas pressés, il s'approcha de son bureau, claqua des doigts et demanda :

— Dubois, vous avez mes renseignements ?

— Oui, monsieur, répondit la voix du secrétaire.

— Je vous écoute.

Seita tira de sa poche un minuscule carnet, le posa sur le grand bureau et prit des notes, avec un stylo gros comme une allumette.

— François Deschamps, disait la voix indifférente de Dubois, est fils de cultivateurs. Ses parents sont voisins de ceux de Mlle Rouget, mais plus pauvres.

Leur domaine suffit tout juste à les faire vivre. Leur fils habite pour l'instant un ancien atelier de peintre, rue Jeanne, dans une sorte de cité d'artisans abandonnée dont il demeure à peu près l'unique locataire. Il s'est présenté au concours d'entrée de l'École supérieure de Chimie agricole. Les résultats seront rendus publics dans deux jours, mais j'ai pu me les faire communiquer par le président du jury, M. Laprune, directeur de l'école. François Deschamps est reçu premier. Ses parents espèrent qu'à la sortie de l'école il entrera comme ingénieur dans une usine agricole. Mais lui ne cache pas à ses amis son intention de prendre plutôt la direction d'une grande exploitation rurale en Provence, et d'essayer d'appliquer à la terre quelques-unes des méthodes de l'industrie agricole. Il mesure un mètre quatre-vingt-cinq. Il est large en proportion. Ne fait pas de sport, mais passe chaque année plusieurs mois à la ferme où il travaille avec son père. Il est brun, pas très beau. Il doit de l'argent à la Compagnie d'électricité. Il est en retard pour son terme, qu'il paye au mois, et pour ses quittances d'eau et de lait. Il est bien avec sa concierge.

— Je vous remercie, Dubois. Arrangez-vous pour que d'ici trois jours on lui ait coupé l'eau, le fait et l'électricité. Convoquez ici, à seize heures, M. Laprune. Et que je sois toujours au courant des faits et gestes de ce M. Deschamps. C'est tout.

Le timbre mit un point final à la conversation.

Jérôme Seita ferma son petit carnet, le remit dans sa poche, se leva, et s'en fut, comme chaque matin, faire une visite à ses ancêtres.

Les progrès de la technique avaient permis d'abandonner cette affreuse coutume qui consistait à enterrer les morts et à les abandonner à la pourriture.

Tout appartement confortable comprenait, outre la salle de bains, l'assimilateur d'ordures, le chauffage urbain, les tapis absorbants, les plafonds lumineux et les murs insonores, une pièce qu'on appelait le Conservatoire. Elle était constituée par de doubles parois de verre entre lesquelles le vide avait été fait. A l'intérieur de cette pièce régnait un froid de trente degrés. Les familles y conservaient leurs morts, revêtus de leurs habits préférés, installés, debout ou assis, dans des attitudes familières que le froid perpétuait.

Les premiers Conservatoires avaient été construits vers l'an 2000. La plupart d'entre eux contenaient déjà deux générations. Les petits-enfants de l'an 2050 devaient à cette invention de connaître leurs arrière-grands-pères. Le culte de la famille y gagnait. L'autorité d'un père ne disparaissait plus avec lui. On ne pouvait plus escamoter le défunt dès son dernier soupir. D'un index tendu pour l'éternité, il continuait à montrer à ses enfants le droit chemin.

Des artistes spécialistes se chargeaient de donner aux trépassés toutes les apparences de la vie, et aux Conservatoires un air familier de pièces habitées. Après avoir fait la première mise en scène, ils venaient chaque semaine en vérifier l'installation, raviver, à l'aide de fards spéciaux, les couleurs des personnages, et faire disparaître, à l'aspirateur, la poussière des vêtements et des décors. Les familles payaient, pour ces soins, un petit tant-par-mois à la C.P.D. (Compagnie de Préservation des Défunts).

En général, le Conservatoire occupait dans l'appartement une situation centrale. Chacun de ses murs de verre s'ouvrait sur une pièce différente. Les jours de réception, la maîtresse de maison mettait une fleur à la boutonnière de grand-père, redressait sa moustache. Les morts prenaient part à la réunion. Les invités leur adressaient en arrivant un salut courtois, félicitaient leurs enfants de leur bonne mine.

A la salle à manger, la table leur faisait face. Le maître de maison rompait le pain après le leur avoir présenté. Les fumets des plats montaient vers leurs nez de glace.

Quand Monsieur allait retrouver Madame dans sa chambre, il prenait soin de tirer le rideau sur le mur de verre, pour ne pas choquer grand-maman.

La présence continuelle des défunts donnait à la vie intime des ménages une tenue et un ton trop souvent inconnus jusqu'alors. Les femmes ne traînaient plus en robe de chambre jusqu'au déjeuner. Les hommes se retenaient de jurer et de casser la vaisselle. Les ménages qui se seraient laissés aller à se disputer, voire à se battre devant les enfants, n'osaient le faire sous le regard fixe des ascendants.

Un père honnête conservé retenait son fils sur la voie de la fripouillerie. Une mère vertueuse évitait à sa fille le péché d'adultère. Les femmes les plus dissolues n'osaient recevoir leurs amants chez elles, même à rideaux tirés.

Afin d'éviter les disputes et les procès, une loi avait rétabli, dans ce domaine, le droit d'aînesse. A moins d'arrangement à l'amiable, l'ancêtre appartenait à l'aîné des héritiers.

L'encombrement qui risquait, au bout de quelques générations, de régner dans les Conservatoires avait été prévu. Les laboratoires de la C.P.D. mettaient la dernière main à un procédé qui devait permettre, par immersion dans un bain de sels chimiques, de réduire les défunts au vingtième, à peu près, de leur taille

primitive. Une loi, précédant son application, en
interdisait l'usage à moins de la quatrième génération.
On ne pourrait réduire que ses aïeuls. Encore certains
grands défunts échapperaient-ils au bain, l'État se
réservant de les classer comme ancêtres historiques.

Un chimiste, qui voyait loin, cherchait un procédé
de réduction plus radical. « Nous devons penser à nos
descendants de l'an 10000, déclara-t-il à la Radio, si
nous voulons parvenir jusqu'à eux, jusqu'à ceux de
l'an 100000, il faut que nous, et nos arrière-petits-
enfants, et nos innombrables descendants, puissions
loger dans le minimum de place. »

Il voulait réduire les ancêtres à un demi-centimètre,
les aplatir à la presse, les glisser dans un étui de
cellophane, les coller dans un album. « Plus tard,
indiquait-il, d'autres savants feront mieux encore,
rassembleront mille générations sur une plaque de
microscope. Alors la question de la place ne se posera
plus. »

Grâce à ces procédés, les familles conserveraient,
pendant des siècles de siècles, leurs membres morts
parmi leurs membres vivants, les plus proches gran-
deur nature, les autres s'amenuisant dans le passé. A
cette perspective, les vivants envisageaient la mort
d'un œil plus doux. Le grand épouvantement de la
pourriture avait disparu. La malédiction : « Tu
retourneras en poussière », semblait périmée.
L'homme savait qu'il ne disparaîtrait plus, qu'il
demeurerait, au milieu de ses enfants, et de ses
lointains petits-neveux, honoré et chéri par eux.
Pétrifié, laminé, microscopique, mais présent. Il ne
craignait plus de servir de proie à la vermine, de
disparaître totalement dans la grande Nature indifférente. Ainsi le progrès matériel était-il parvenu à

vaincre la grande terreur de la mort qui, depuis le commencement des siècles, courbait le dos de l'humanité.

Les législateurs avaient profité de ces circonstances pour aggraver la peine qui frappait les assassins. Le condamné, après avoir subi le rayon K, qui le faisait passer sans douleur de vie à trépas, était plongé par le bourreau dans un bain d'acide qui le dissolvait. Devenu bouillie, il allait à l'égout. Ainsi lui était refusée cette présence perpétuelle, succédané de l'éternité, qui rassurait les mortels. Pour lui, la terreur de l'inconnu subsistait. Le crime ne résista pas à l'institution de la dissolution *post mortem*. Le nombre des assassinats, dans l'année qui suivit son application, diminua de soixante-trois pour cent. Les tueurs professionnels abandonnèrent. On continua seulement de tuer par amour.

Bien entendu, les logements ouvriers étaient trop petits pour contenir des Conservatoires particuliers. Aussi l'État avait-il aménagé, dans le sous-sol des villes, des Conservatoires communs, qui remplaçaient les anciens pourrissoirs nommés cimetières. Chaque famille s'y voyait attribuer gratuitement son logement particulier. Les visites étaient autorisées deux fois par semaine, le dimanche et le jeudi. Pour éviter que la ville mortuaire fût habitée par un peuple trop mal habillé, l'État donnait un vêtement neuf à chaque défunt. Cet uniforme, c'était, pour les hommes, l'ancien « habit » des élégants du xxe siècle, noir, à basques, et, pour les femmes, une simple robe dite « paysanne », à fleurettes bleues sur fond rose.

Dans le Conservatoire de Seita se trouvaient seulement quatre personnes, les grands-parents de Jérôme, morts vers le premier quart du siècle. Assis sur des fauteuils antiques, les deux couples se faisaient face, en costumes à boutons. Ils étaient parvenus à un âge avancé, les deux hommes séchés par le feu des affaires, les deux femmes engraissées par l'oisiveté.

Jérôme retrouvait tous ses traits dans ceux de sa grand-mère maternelle. Petite et ronde, elle regardait son petit-fils d'un œil attendri, ses mains à plat sur ses genoux, ses pieds reposant sur un coussin ventru.

Jérôme ne manquait pas, chaque jour, de lui rendre son regard affectueux, mais c'était avec un infini respect qu'il considérait les deux hommes au visage sévère, l'un livide, les joues plates, les lèvres minces, le nez long ; l'autre boucané, l'œil noir, les traits coupés de rides profondes. Ils avaient transmis à son père la double puissance de la banque et de l'industrie. De cette puissance, lui, Jérôme, se trouvait le dernier héritier. Il promettait à ses morts, chaque matin, de ne pas la laisser décroître.

Le vieux réveil de Blanche fit entendre un bruit de
ferraille. La jeune fille ouvrit un œil, s'étira, bâilla, se
tourna, et se rendormit. Elle avait pris la précaution
de brancher son poste sur l'émetteur « A votre
service », qui se chargeait, entre mille autres choses,
de réveiller ses abonnés à l'heure qu'ils désiraient.

A huit heures, la glace à rocaille s'éclaira. Une
soubrette de comédie du XVIIIe siècle, haute de six
centimètres, apparut, fit quelques pas en l'air, ouvrit
dans le vide, entre le bureau et la table de chevet, une
fenêtre grande comme la main par où entra un rayon
de soleil fictif, se tourna vers le lit, et dit d'une voix de
géante : « Madame, il est huit heures ! » Blanche
sursauta.

Tout s'éteignit, puis la glace s'éclaira de nouveau, la
même soubrette en sortit, fit les mêmes pas, ouvrit la
même fenêtre virtuelle, prononça la même phrase de
sa voix de tonnerre. Au mur, les photos tremblèrent.

Blanche se hâta de sauter du lit et de courir à son
bureau fermer son poste avant que Mlle Barie Mell, de
la Comédie-Française, dont elle avait reconnu l'or-

gane, recommençât une troisième fois de lui annoncer
l'heure.

Elle avait mal dormi, tourmentée par la chaleur.
Elle ouvrit une porte basse dans le mur, saisit une
poignée, et développa sa baignoire pliante. Pendant
que l'eau de son bain coulait, Blanche fut à son
placard-cuisine, fit chauffer un bol de lait dans lequel
elle jeta une pastille de café et une pilule de sucre. Elle
entrouvrit sa fenêtre pour prendre, sur le rebord, les
trois croissants chauds enveloppés de papier de soie
thermos, que le boulanger volant du coin déposait
pour elle chaque matin.

Elle déjeuna, ôta son vêtement de nuit, se plongea
dans l'eau très chaude. Quand elle en sortit, la
température de sa chambre lui sembla plus supporta-
ble. Comme elle s'enveloppait dans son peignoir, le
téléphone bourdonna.

Elle eut soin de couper l'émission de l'image, et
appuya sur le bouton d'admission. La glace s'éclaira.
Seita y apparut, assis à son bureau, quelques papiers
devant lui. Il passait un doigt sur sa moustache, se
caressait le bout du nez du pouce et de l'index.

— Allô, mademoiselle Rouget ?

— Oui, bonjour, monsieur Seita.

— Bonjour, mademoiselle. Pourquoi donc vous
cachez-vous ?

Blanche le vit sourire, fixer dans le vide un regard
d'aveugle.

— Je me cache parce que je ne suis pas en état de
me montrer, dit-elle. Ma chambre n'est pas faite et je
sors du bain !

— Oh, je vous prie de m'excuser. Je me permets de
vous déranger d'aussi bonne heure pour vous demander de remettre vraiment votre sortie avec votre ami,

comment dites-vous, Deschamps ? à un autre jour. Je
viens d'être appelé à Melbourne. Je dois partir demain
et serai absent deux jours. Je veux vous emmener ce
soir dîner quelque part au frais. Vous verrez votre ami
demain...

— Mais, je lui ai promis...

— Une femme, voyons, n'est pas obligée de tenir
une promesse...

Il sourit, se leva, s'avança de trois pas hors de la
glace.

Blanche, instinctivement, recula. Elle marcha sur le
bas de son peignoir, qui glissa de ses épaules. Elle se
trouva nue. L'image de l'homme, minuscule, venait
droit vers elle, glissait dans le vide vers son ventre
blanc. Elle poussa un petit cri de frayeur, essaya de se
cacher tout entière derrière ses deux mains, se baissa
pour ramasser son peignoir. Elle n'y parvenait pas,
elle continuait de le piétiner. Elle courut vers son lit,
se glissa sous le drap, haletante.

— Je vous en prie, monsieur Seita, retirez-vous !

Il s'arrêta, surpris, tourna vers la gauche sa tête
grosse comme une noix.

— Mon image elle-même est peut-être indiscrète ?
Je vous en prie encore une fois, excusez-moi...

Il retourna sur ses pas, traversa le dos d'un fauteuil,
rentra dans la glace, s'approcha de son bureau, tendit
la main. La glace s'éteignit, redevint un simple miroir
au tain brumeux, pendant que la voix de Seita
continuait :

— D'autre part, je viens de faire établir votre
contrat. Je l'ai là, devant moi. J'aimerais que vous
passiez au studio vers onze heures pour le signer, et
toucher une première avance.

Enfin, je vous informe que je viens de retenir pour

vous un appartement dans la Ville Radieuse, près du studio. En fait, à côté du mien.

— Mais...

Elle s'assit sur son lit, remonta le drap sur ses épaules.

— Oui, interrompit-il, il faut que vous soyez toujours près du poste. Nous pouvons avoir besoin de vous à tout instant. Je me charge de l'installation. J'ai commandé les meubles. Dubois vous trouvera des domestiques. Vous pourrez, je crois, pendre la crémaillère dans une quinzaine de jours...

— Mais, monsieur Seita...

— Bien entendu, Radio-300 prendra cette location à sa charge. Alors, c'est d'accord, je vous attends tout à l'heure, et ce soir nous dînons ensemble ! Au revoir, mademoiselle, excusez-moi d'être entré chez vous de si grand matin... Au revoir.

Blanche laissa retomber le drap. Elle sourit de sa frayeur. Sa pudeur s'était alarmée d'une image aveugle.

Elle regarda autour d'elle avec des yeux nouveaux. Sa chambre lui parut minuscule, encombrée, laide.

Jusqu'à ce jour, elle n'avait connu que les aises rustiques de la maison de ses parents, et cette chambrette. Elle s'y était trouvée heureuse parce qu'elle ne pouvait point faire de comparaison. Habiter un appartement dans la Ville Radieuse, avec de beaux meubles disposés dans de grands espaces, donner des ordres à des domestiques, être servie comme une reine, cela lui paraissait du domaine de l'irréel. Elle était comme une fillette entrée tout éveillée dans un conte de fées. Elle pensa au plaisir qu'elle éprouverait, le soir, seule, toutes portes closes, à courir nu-pieds sur les tapis épais, à travers les vastes pièces.

Elle rit, se leva, se mit à danser, chanter, tourbillonner autour de son lit, de son bureau, de sa baignoire, les bras levés au-dessus de sa tête, joyeuse, innocente et nue.

A temps perdu, François Deschamps peignait. De retour de ses vacances, il avait retrouvé sur son chevalet un tableau qu'il avait estimé achevé. Il s'attachait maintenant à en corriger les imperfections, qui lui étaient apparues à le revoir avec des yeux neufs. Depuis deux heures avant midi, le soleil traversait les rideaux blancs tendus sous la verrière, emplissait l'atelier d'une lumière et d'une chaleur africaines.

François se leva de son tabouret, s'éloigna de quelques pas et regarda son tableau. Il représentait une Vierge à l'Enfant, un buste de femme avec l'Enfant dans ses bras. Le personnage se détachait sur un paysage minutieusement peint, en couleurs très vives. C'était une montagne à laquelle s'accrochait un hameau, et que baignait une rivière.

Ce village, c'était le sien, cette rivière, c'était celle dans laquelle il avait pris ses premiers bains, cette montagne, il en avait dévalé les pentes des milliers de fois. Quant au visage rayonnant que la Vierge penchait vers l'enfant, c'était celui de Blanche Rouget. Cette partie du tableau mécontentait François. Il ne parvenait pas à mettre sur la toile toute la lumière dont son amie brillait dans son cœur. Cette Vierge lui paraissait terne, « en bois ».

Il revint vers le chevalet, écrasa du pouce une touche de couleur, essuya son doigt sur sa blouse, cria « Entrez », et tourna la tête vers la porte.

Celle-ci s'ouvrit, Blanche parut sur le seuil.

François poussa une exclamation de joie, s'avança vers elle les bras tendus. Il la prit sous les bras, la souleva et l'embrassa sur les deux joues :

— Bonjour, ma Blanchette ! Tu sais que tu te fais belle !

— Tu n'es pas le seul à me le dire, grand sauvage. Toi, tu es noir comme un moricaud ! Attention, tu vas me tacher avec ta sale peinture...

Ils riaient, pleinement heureux de se retrouver. Ils n'étaient jamais restés assez longtemps sans se revoir pour que la belle intimité de leur enfance se voilât de gêne quand la vie les réunissait de nouveau.

— Mais quelle heure est-il donc ? reprit-il. Je ne t'attendais pas si tôt.

Il appuya sur le bouton de sa montre-bracelet, et la porta à son oreille.

« Dix-huit heures, une minute », murmura la montre.

— Tu es en avance d'une heure ! Tant mieux, tant mieux ! Il y a si longtemps que je ne t'avais vue.

Il ajouta tout doucement, en lui prenant les deux mains :

— Tu sais que j'ai besoin de toi, maintenant ? Ces dernières semaines, je n'en pouvais plus de te savoir si loin.

Ces paroles causèrent à Blanche plus d'embarras que de joie.

Elle était si sûre, depuis toujours, de la solide
affection de François! Allait-il devenir sentimental?
Elle-même ne l'était guère. Elle avait encore l'esprit et
le cœur plus au jeu qu'à l'amour. Elle demeurait très
jeune, comme une pêche à la peau dorée, qui paraît
mûre, et ne l'est pas tout à fait.

Elle rougit. Elle avait chaud. Elle sentait la transpiration traverser peu à peu son linge, attaquer son
vêtement. Une goutte se forma entre ses épaules, lui
coula d'un trait tout le long du dos. Elle frissonna.

— Je crois bien..., continua François.

— Tais-toi donc. Tu t'ennuyais loin de Paris, tout
simplement. La preuve, c'est que moi, je n'ai pas
trouvé le temps long...

— Ça, au moins, c'est gentil! dit-il en riant. Tu as
raison. Nous avons bien le temps de devenir sérieux.

Il débarrassa sa table des livres et des papiers qui
l'encombraient, en fit, par terre, une pile qui s'écroula
aussitôt.

— Assieds-toi. Si tu veux, nous allons manger tout
de suite. Et nous irons faire après un petit tour en
barque sur la Seine. Hein? Nous allons manger ici,
avec des produits de chez nous! J'ai des olives du
Serre rouge, un pâté de lièvre du Charamallet, un
rayon de miel du Dévès, des confitures de figues, et
du pain fait par ta mère, du vrai pain avec de la vraie
farine de vrai blé et du vrai levain.

— Écoute, François, j'étais justement venue plus
tôt pour te dire que je ne dînerais pas avec toi. Je suis
fatiguée. Je me sens malade. Je vais aller me coucher
en te quittant. Je suis venue simplement pour t'embrasser...

Elle avait pris une voix faible pour prononcer ces
derniers mots, une voix de fillette tendre. Il en fut

ému, se mit à genoux devant la chaise où elle était assise. Dans cette position, il était encore presque aussi grand qu'elle. Il mit ses deux mains sur les genoux de la jeune fille :

— Ma Blanchette, mais il ne fallait pas venir. Il fallait te coucher et m'envoyer un pneu ou même rien du tout. Je t'aurais téléphoné… Ce n'est rien de grave, au moins, mon petit ?

— Oh, non, un peu de fatigue, un grand besoin de dormir. Téléphone-moi demain. Si ça va mieux, nous prendrons un nouveau rendez-vous…

Elle mentait sans vergogne. C'était encore un jeu. Elle avait hâte de retrouver la Ville Radieuse, son atmosphère tempérée, la politesse exquise de Seita. Elle se demandait quelle température il pouvait bien faire en Écosse. Par-dessus l'épaule de François elle apercevait, sur le plancher, dans un coin, la casserole sans queue où tombait, en temps de pluie, l'eau qui traversait le toit. Au fond du récipient rouillé reposaient trois mouches mortes, les pattes en l'air.

Elle se leva, avec une grimace de fatigue bien imitée, embrassa son ami et lui donna une petite tape sur la joue :

— Tu piques !

Il passa le dos de sa main sous son menton et sourit :

— Sacrée barbe, elle pousse plus vite que le blé. Au moins, prends un taxi pour rentrer chez toi ! As-tu de l'argent ? En veux-tu un peu ?

— Merci, merci, j'ai ce qu'il faut.

Ce fut son seul moment de honte. Elle pensait au contrat qu'elle avait signé le matin, au cachet fabuleux qu'il lui assurait, au premier chèque qu'elle avait touché.

« Il faudra bien pourtant que je lui dise tout, pensait-elle en descendant l'escalier. Comment prendra-t-il ça ? Bah, on verra bien ! »

Dans la rue, elle fit quelques pas en chantonnant, arrêta une « puce » et donna l'adresse de la Ville Radieuse.

François s'attablait avec quelque mélancolie devant son pâté de lièvre. Il s'était promis tant de joie de cette soirée... Sa déception lui montrait clairement quels étaient ses sentiments pour la jeune fille. A la camaraderie, à la tendresse protectrice de grand frère pour une sœur espiègle, s'était ajouté, sans les détruire, un amour très puissant d'homme solide pour la femme adorable qu'elle était devenue.

— Eh bien, tant mieux ! dit-il à haute voix.

Il se coupa une large tranche de pâté.

« Dubois, voulez-vous faire préparer le Renault
bleu... Nous partons dans cinq minutes pour Édim-
bourg. »

Par l'ascenseur privé, Jérôme Seita et son invitée
gagnèrent le toit de la Ville Radieuse. Gaston, le pilote
particulier du directeur de Radio-300, les attendait à la
porte, sa casquette à la main.

Le ciel, au-dessus de l'immense terrasse, bourdon-
nait. Des centaines d'appareils de toutes couleurs
s'envolaient, descendaient, se croisaient selon les
règles strictes du Code de l'air.

Les constructeurs avaient depuis longtemps abandonné, pour la navigation aérienne, le système de la
surface portante, qui ne permettait d'atteindre qu'une
vitesse limitée. Ailes et queue avaient disparu. Des
anciens avions ne subsistaient que leur nom et l'hélice.
Celle-ci avait pris une importance énorme. Ce n'était
plus la simple hélice composée de deux, trois ou
quatre pales tournant dans le même sens. Élargie,
étirée en forme de vis sans fin, elle était devenue
l'essentiel de l'appareil. Tout le reste de la machine se
logeait au milieu de ses spires.

Les avions qui attendaient, sur la terrasse, le
moment de l'envol avaient à peu près tous la même
forme : celle d'un citron posé la pointe en l'air.
Autour de cet ovoïde, de la pointe au ras du sol,
s'enroulait le large pas de vis de l'hélice.

Gaston conduisit son patron et son invitée près de
l'appareil qui devait les conduire en Écosse. A travers
sa coque en plastec transparent, légèrement bleuté, ils
apercevaient, au-dessus du moteur, la cabine ronde,
enfermée dans cet œuf gigantesque comme le jaune
dans un œuf de poule. Un « cul de plomb » gyroscopi-
que lui permettait de garder toujours la même position, quelle que fût l'inclinaison de l'appareil. Au-
dessus, une cabine semblable, mais plus petite, était
destinée au pilote. De là, ce dernier commandait
toutes les manœuvres au moyen de quelques boutons,
sur un clavier à ondes courtes. Une fois les portes
hermétiquement refermées, l'avion se vissait dans l'air
sans le frein d'aucune surface plane, et décollait
verticalement. Quand il avait décollé, il pouvait
prendre, à la volonté du pilote, n'importe quelle
inclinaison, et filait droit devant lui, en montée ou en
descente à l'angle désiré, ou à l'horizontale.

Blanche n'était encore jamais montée jusqu'à la
terrasse d'une des quatre Villes Hautes. Elle fut, en
quelques secondes, suffoquée par l'intensité du mouvement, par les vrombissements des démarrages, par
l'odeur d'éther des moteurs à quintessence, par le
parfum de cuir chaud des moteurs électriques, par le
papillotement du soleil sur cet essaim de bulles de
cristal.

Les aérobus rouges de la ligne Paris-Madrid-Casa-
blanca-Athènes-Berlin-Londres-Paris, et ceux, verts,
du circuit inverse, apparaissaient toutes les deux

minutes. Ils descendaient verticalement, à une vitesse
vertigineuse, freinaient en quelques mètres et se
posaient avec la légèreté d'un flocon devant le refuge
où les voyageurs attendaient, leur numéro d'appel en
main. Après quelques secondes d'arrêt, sur le coup du
timbre du receveur, les trente tonnes s'envolaient en
douceur.

La terrasse touchait le ciel de toutes parts, bâtissait
en plein azur un horizon de ciment plat. Le sol, les
piétons, les autos, les rues, les maisons, tout ce monde
semblait maintenant aussi étranger, souterrain, que
celui des fourmis. Blanche venait d'entrer dans un
autre univers, celui de la matière sans poids.

Jérôme Seita la regardait en souriant. Il lui toucha le
bras.

— Régina, quand vous voudrez...

Ils pénétrèrent dans la cabine de l'avion. La porte
claqua. L'hélice démarra, mit un brouillard autour de
la cabine, puis la vitesse la fit disparaître. Sans
secousse, l'appareil s'élevait. Il accéléra vers le ciel,
perça un léger nuage. Ayant atteint l'altitude régle-
mentaire, il se coucha. Gaston, qui, tout à l'heure,
était assis au-dessus de la tête des passagers, se
trouvait maintenant devant eux. A la vitesse d'un
obus, l'avion s'enfonça dans la direction du nord.

★

Ils rentrèrent peu après minuit. Paris leur apparut
comme une dentelle de lumières posée sur le velours
mat des ténèbres. Les grands boulevards, les rues
étroites des quartiers centraux, réservés aux magasins
et aux lieux de plaisir, palpitaient de mille couleurs
changeantes, composaient un réseau de feu que voilait

légèrement une brume lumineuse. Des toits vivement
éclairés des quatre Villes Hautes, montaient vers le
ciel des gerbes multicolores. Les avions qui prenaient
l'air la nuit devaient garder leurs cabines éclairées, et
c'était autant de bulles roses, bleues, vertes, blanches,
dorées, mauves, grosses comme des points lumineux à
leur départ, qui montaient en grossissant vers le ciel
nocturne.

Gaston se fraya un chemin dans l'intense circulation
de nuit, puis ce fut la descente verticale. Dès qu'ils
mirent le pied sur la terrasse, les deux hommes et la
jeune fille se trouvèrent de nouveau plongés dans la
fournaise. Blanche se sentait légère, prête à s'envoler
comme ces ballons de couleur qui montaient dans la
nuit, à se joindre avec eux à l'immense carrousel
lumineux qui tourbillonnait au-dessus de la ville, et lui
cachait les étoiles. Jérôme l'accompagna jusqu'en bas,
la fit reconduire par une voiture du studio. Elle se
renversa avec un soupir d'aise dans la profonde
banquette, ferma les yeux. Elle était très légèrement
grise. Elle pensait à l'homme qu'elle venait de quitter.
Elle ne le trouvait ni beau, ni très sympathique, ni
attirant d'aucune façon. Mais tout le monde lui
appartenait.

Au cours de ce dîner, dans un vieux château
d'Écosse transformé en restaurant, il s'était montré
plus que poli, prévenant, plein d'attentions, et en
même temps distrait. Il oubliait de manger pour la
regarder.

Elle le sentait profondément amoureux, bien qu'il
n'eût pas dit un mot qui le laissât croire. Certainement, elle ne l'aimerait jamais. Mais il ne tenait qu'à
elle de devenir la maîtresse de tout ce dont il était le
maître.

Il faudrait, pour cela, le supporter, avec sa petite tête et ses mains molles...

Par opposition, l'image de François remplaça dans son esprit celle de Jérôme Seita. Elle sourit avec tendresse au grand garçon. Mais elle revit autour de lui l'atelier torride, les mouches mortes dans la casserole. Épouser François, c'était renoncer à sa carrière de vedette, à cette vie si amusante. Elle le connaissait. Elle savait qu'il ne supporterait pas que sa femme fût indépendante de lui. Il ne voulait pas d'une associée, mais d'une épouse, attachée à son foyer, à ses enfants, à son mari.

L'épouser, c'était donc — et à condition qu'il fût reçu à son concours — se condamner à une vie étroite de femme d'ingénieur. Sans doute percerait-il, serait-il un jour chef d'entreprise, peut-être inventeur célèbre de nouvelles méthodes de culture. Mais dans combien de temps ? Pendant combien d'années devrait-elle supporter la médiocrité ?

L'argent viendrait quand elle serait vieille. Elle n'aurait profité de rien, ne se serait pas amusée...

Elle avançait les lèvres dans une moue charmante. Elle boudait.

« Ma Blanchette,

« En recevant ce matin ta lettre, je pensais bien qu'elle m'apportait l'explication de ton silence, et que j'allais enfin savoir ce que tu étais devenue depuis trois jours, pourquoi ton téléphone restait sourd et ta porte close. Mais l'explication est tellement inattendue, que j'en reste suffoqué. Ainsi c'est toi cette Régina Vox, dont on entend clamer le nom à tous les carrefours, et qu'un monde de badauds attend comme une comète ?

« Je te mentirais en prétendant que je suis très heureux de ton changement de situation. Certes, tu vas gagner plus d'argent qu'un ministre, mais en pratiquant un métier qui ne me plaît guère.

« J'espère que tu ne te laisseras pas tourner la tête par toutes les félicités qui te sont désormais offertes. Reste une Blanchette gentille. Évite de devenir semblable à ces vedettes qui ne sont plus que sourires niais et voix de perruches. N'oublie pas que la nouvelle vie que tu commences est bien artificielle, ne te laisse pas griser. Le fait qu'il te suffise d'appuyer sur un bouton pour obtenir ce que tu désires ne fait pas de toi une fée. Et tes jambes ne seront pas plus belles quand elles danseront dans tous les écrans de la terre que lorsque j'étais seul à les aimer. Reste toi-même, aime ton métier. Tâche d'y réussir brillamment. Mais n'en éprouve aucune vanité. Une seule chose compte, une seule chose est belle : l'effort.

« J'assisterai à ton gala chez Legrand, un ancien copain de Faculté, un richard qui habite les boulevards. Je sais qu'il possède un récepteur ultra-perfectionné.

« Pour ma part, je suis, depuis ce matin, démuni comme aux premiers âges. On m'a coupé à la fois l'eau, l'électricité et le lait. J'avais heureusement conservé ma vieille lampe à alcool, qui me permettra de continuer à faire ma petite cuisine. Et j'en serai quitte pour m'éclairer à la bougie, ou me coucher en même temps que les moineaux. Ce qui me gêne le plus, c'est de ne pas pouvoir continuer à répandre des seaux d'eau sur mon plancher. Il fait une telle chaleur dans mon atelier que je m'y sens comme melon sous cloche.

« Mais tout cela n'est pas grave. Ce qui l'est beaucoup plus, c'est que les résultats du concours d'entrée à l'École supérieure de Chimie agricole viennent d'être publiés, et que je ne figure pas parmi les reçus. J'en suis très étonné, car si quelques concurrents recommandés pouvaient m'empêcher d'accéder à une des premières places, je n'en étais pas moins certain d'être reçu. Je sais ce que je vaux et ce que j'ai fait. Ne crois pas à de la vanité de ma part, mais simplement à une juste conscience de ma valeur comparée à celle de la foule des concurrents. Je soupçonne quelque intrigue sordide, un ennemi inconnu et tout-puissant à l'école, ou l'incurie de quelque correcteur qui n'aura même pas lu ma copie.

Je vais essayer de savoir ce qui s'est passé. De toute
façon, c'est une année de perdue, et j'enrage, car je
déteste perdre mon temps.

« Je t'ai assez ennuyée, ma Blanchette. Je me
console en me disant que le sort, qui m'est hostile, en
compensation te favorise. Mais que deviennent les
chers projets d'avenir dont je voulais t'entretenir ? Il
semble que la vie veuille nous séparer, nous éloigner
l'un de l'autre. Je ne le lui permettrai pas... »

Blanche, qui avait lu d'un œil distrait tout le début
de la lettre, fronça le sourcil à cette dernière phrase, et
frappa du pied.

« Tout de même, il ne faut pas qu'il s'imagine qu'il
est mon maître ! Je ne suis plus une enfant ! Et que va-
t-il devenir s'il est encore " recalé " l'an prochain ?
Est-ce qu'il croit que je vais attendre éternellement ?
Ou retourner planter des choux avec lui, à Vaux ?
Pour qui me prend-il ? »

Le soir même, la voix de Durand lisait à Jérôme
Seita la lettre de François, et trois brouillons irrités de
la réponse de Blanche, qu'elle n'avait finalement pas
envoyée.

Seita sourit, et commanda par téléphone au plus
élégant bijoutier de Paris sa plus belle bague, ornée de
son plus pur diamant.

Deux jours après, comme il finissait de dîner,
François recevait de Blanche un pneu par lequel elle
lui annonçait ses fiançailles avec le directeur de Radio-
300.

Il fut un moment accablé.

Il s'assit sur son lit, la tête dans ses mains crispées,
mais se releva bientôt, furieux. Il n'était pas de
tempérament à se laisser aller au chagrin. Après tout,

elle n'était qu'une enfant, elle s'était laissé séduire par la vie facile que lui promettait ce freluquet dont les journaux à ses ordres n'arrivaient pas à publier une photo sur laquelle il eût l'air d'un homme. Elle, cette fille si saine, si belle, dans le lit de cette larve ? Évidemment, elle ne se rendait pas compte. Elle ne voyait que le luxe, oubliait simplement le mari.

François donna un coup de pied dans la casserole à mouches, qui traversa un carreau et tomba dans la cour dans un bruit de ferraille et de verre brisé.

« Eh bien, je vais empêcher ça. Je casserai la figure du Seita, et je donnerai, s'il le faut, une correction à la gamine, mais je lui éviterai ce malheur, dussé-je la ramener à Vaux par les oreilles. Ce mariage ne se fera pas, parce que je l'empêcherai ! »

Cela lui parut tout simple, et cette décision lui rendit son calme et sa bonne humeur. Depuis quelques jours il nageait dans le doute, la mélancolie, courait d'une déception à l'autre, accusait le destin. Il venait de trouver le remède : passer à l'action. Le destin demande qu'on le force.

Un secrétaire de l'École de Chimie qu'il connaissait lui avait communiqué une première liste des résultats, sur laquelle il figurait. Il y était même le premier. Cette liste avait été remaniée en dernière heure. Il était décidé à tirer cette histoire au clair. Tout cela lui promettait des journées bien remplies. Il se frotta les mains, porta sa montre à son oreille. Il avait juste le temps d'aller chez Legrand pour assister au gala de lancement de Blanche.

— Ah, sacrée gamine ! murmura-t-il. Je me charge de te remettre dans le droit chemin !

Il claqua la porte derrière lui, et partit d'un pas décidé.

La chute des villes

Legrand habitait boulevard Montmartre. Les anciens boulevards avaient été élargis. A leur place, s'élançaient de vastes avenues, couvertes de files ininterrompues de voitures. Les piétons qui désiraient traverser devaient emprunter les passages souterrains. Mais il n'y avait plus guère de piétons. Une auto s'achetait à crédit, payable en plusieurs années, et les salaires élevés des ouvriers leur permettaient de s'offrir ce luxe et quelques autres. L'usine les tuait à cinquante ans. Mais, au moins, jusque-là, avaient-ils bien vécu.

François, qui vivait des maigres subsides et des quelques provisions que lui envoyaient ses parents, vint chez Legrand à pied. Il détestait le métro, et les taxis étaient trop chers pour sa bourse. Il dédaigna les services de l'ascenseur, monta à grandes enjambées les

quatre étages. Une soubrette en tablier blanc, gentil-
lette, vint lui ouvrir. François lui rendit son sourire et
lui caressa la joue d'un doigt. Elle le conduisit,
rougissante, au salon où Legrand l'attendait.

C'était un joyeux garçon, rond de visage, de ventre
et de cuisse, déjà un peu chauve et de souffle court.

— Mon vieux, dit-il, je suis heureux de te revoir !
Ton pneu m'a joyeusement surpris. Il y a au moins
trois mois qu'on ne s'était plus rencontrés !

— Trois mois ? Tu veux dire un an ! Et tu en as
profité pour engraisser encore. Tu n'as pas honte ? Tu
devrais te surveiller.

— Ne t'inquiète pas pour mon ventre, vieux frère.
Assieds-toi plutôt.

Avant d'obéir à l'invite de son ami, François vint à
la fenêtre, se pencha sur le boulevard. Le fleuve
d'autos coulait rapidement dans les deux sens, en files
ininterrompues sur le sol luminescent. Juchés sur des
miradors, les agents de la circulation, vêtus de combinaisons rouges lumineuses, faisaient, impassibles, leur
métier de sémaphores.

Sous les yeux de François roulaient les autos les plus
diverses. De magnifiques voitures de maître en forme
d'œuf, à carrosserie de couleur vive, à portes et roues
dissimulées, qui semblaient glisser sur la chaussée par
l'effet de quelque miracle ; de vieux tacots démodés,
les fameux « cigares » à accumulateurs atomiques qui
avaient été pendant quelques années les voitures les
plus populaires de France, parce qu'elles avaient
atteint, les premières, le quatre cents à l'heure en
vitesse normale sur autostrade, et dont l'allure, la
forme prêtaient maintenant à sourire ; les voitures à
grande vitesse, ultra-plates, écrasées au sol, ronron-
nant d'impatience au milieu de l'encombrement, et

bien d'autres. Les plus nombreuses étaient les nouveaux taxis électriques, hémisphériques, à trois roues,
à carrosserie transparente, que les Parisiens avaient
baptisés les « puces » à cause de leur façon de
démarrer à toute allure, de s'arrêter de même, de
tourner sur place, de changer brusquement de direction, de se faufiler partout. Les amoureux continuaient d'ailleurs à préférer, à ces voitures débrouil-
lardes, mais sans mystère, les antiques « guêpes »,
dont le chauffeur se trouvait seul à l'avant, dans une
cabine-guide à une roue, indépendante de la carrosserie arrière, à laquelle la rattachait seulement une sorte
de pédoncule où passaient les commandes.

Malgré l'opposition sourde des grands fabricants
d'énergie atomique le nombre des voitures à quintessence augmentait sans cesse et le moteur à combustion
était en voie de faire disparaître entièrement les
moteurs atomiques à turbine ou à accumulateurs. La
quintessence, obtenue par fermentation et distillation
de l'eau de mer, permettait de parcourir mille kilomètres avec un demi-litre de carburant. Mais elle exigeait
une grande quantité d'oxygène. L'air des villes en
souffrait. Aussi les autogires du Service de l'Atmosphère pulvérisaient-ils en l'air, plusieurs fois par jour,
de l'oxygène liquide parfumé à des senteurs champê-
tres.

Bien que chaque moteur fût théoriquement « silencieux », l'ensemble n'en composait pas moins un
énorme vacarme. Sur les allées qui séparaient les
diverses files de voitures, se dressaient de grands
panneaux verticaux, en ciment, d'un blanc vierge. A
intervalles réguliers, chacun de ces panneaux s'éclairait brusquement, une scène rapide s'y jouait pendant
que les voix tonitruantes des acteurs lançaient des

slogans publicitaires pour l'Emprunt d'État, pour les semelles à chenilles, pour le dernier cru de viande, accompagnés de grands accords d'orchestre.

Cris des panneaux, ronronnement des moteurs, grincement des freins, cloches des agents composaient un bruit continu, que murs, portes et fenêtres étaient impuissants à contenir au-dehors. Il habitait dans les maisons avec leurs occupants.

La soubrette apporta un plateau de liqueurs. François s'installa dans un fauteuil, réchauffa dans son poing un armagnac précieux.

Tous les meubles du salon, les grands fauteuils, la bibliothèque, la table de jeux, le divan, la table basse qui supportait les cigarettes et les fleurs, les cadres des tableaux avaient été taillés dans un plastec brun pâle, à demi translucide, par un ébéniste en renom. François apprécia en artiste leurs lignes harmonieuses et les teintes variées que prenait leur matière selon la quantité et la qualité de lumière qu'elle recevait.

Il n'en pensait pas moins que cette matière manquait de noblesse, et regrettait le temps où les meubles se fabriquaient avec du bois.

— En attendant ton fameux gala, dit Legrand, nous allons, si tu veux, prendre les nouvelles...

Il ferma les fenêtres. Le bruit s'assourdit. Les nerfs de François s'y habituaient, mais en sentaient la présence comme celle d'un cambrioleur derrière un rideau.

Il faisait bon dans la grande pièce. Des nappes d'air frais tombaient du plafond, caressaient le visage des deux hommes.

— Tiens, voilà Radio-Informations.

Dans le mur qui faisait face aux fenêtres, un grand

écran diaphane venait de s'illuminer d'un rouge-
violet.

— Sensationnel ! Sensationnel ! cria un haut-
parleur invisible. Gardez tous l'écoute : Sensationnel !
Notre envoyé spécial à Rio de Janeiro, Bertrand Binel,
nous communique que l'empereur Robinson vient de
convoquer d'urgence les représentants de la presse
mondiale pour leur faire une déclaration. Ne quittez
pas, dans quelques instants, nous allons vous retrans-
mettre l'interview !

Le rouge de l'écran palpitait comme un cœur.
Brusquement il pâlit, disparut ainsi qu'une fumée
soufflée par le vent, découvrit une grande pièce que le
procédé du relief rendait présente. Il semblait que
dans le mur du salon une grande baie se fût ouverte
sur une autre pièce de l'appartement. Cette pièce,
vivement éclairée, tendue de lourds rideaux rouges, ne
contenait qu'un seul meuble : un énorme trône, en
ébène massif, taillé d'un bloc, et incrusté d'énormes
diamants qui étincelaient. Sur ce trône, un homme se
tenait assis, un Noir, dans le costume simple et
somptueux que les journaux illustrés et la télévision
avaient rendu familier au monde entier : la tunique en
mailles d'or, qui brillait dans la pièce rouge comme un
soleil dans un ciel embrasé. Ce devait être un vêtement
d'un poids terrible, mais l'homme était un géant,
qu'on sentait capable de supporter bien d'autres
fardeaux. Sur son visage se lisait une excitation
diabolique. C'était un Noir de race pure, aux lèvres
énormes, au nez plat. Mais ses yeux brillaient d'une
intelligence exceptionnelle. Il se leva. Il avança de
quelques pas, lentement. La pièce se déplaça, recula
dans le mur, s'agrandit. Un lourd bureau d'ébène
sortit de l'invisible. L'Empereur Noir vint jusqu'à ce

bureau et se tint derrière, debout, s'y appuyant de ses deux poings. Il n'y avait rien d'autre, sur la surface brillante du meuble, que ces deux poings énormes, d'un noir mat, et le masque hideux, taillé dans un bois rouge par quelque sorcier d'Afrique, du Dieu Retrouvé, dont l'empereur avait imposé le culte à ses peuples.

La tache sanglante du masque et la flamme de la tunique se reflétaient en ondes troubles dans la surface de ténèbres du bureau.

« Bertrand Binel va traduire pour vous, au fur et à mesure, les paroles prononcées par l'Empereur Noir », annonça le haut-parleur.

Et S. M. Robinson parla.

Il parlait dans le dialecte chantant du peuple africain dont il descendait, et qui était devenu la langue des hauts dignitaires de ses États. Le monde entier savait qu'il avait fait le vœu de ne plus prononcer un mot dans une autre langue. Sa voix s'affaiblit, devint un bruit de fond. Une autre voix, haletante, traduisit en français :

« Au moment où je parle, de tous les points de notre territoire, un millier de torpilles aériennes s'envolent, dirigées vers des buts précis. Aucun radar ne pourra les déceler, aucune contre-fusée les atteindre, aucun rayon les détruire. Chaque torpille atteindra, à un mètre près, l'objectif auquel elle est destinée. Déjà les premières se sont abattues, créant autour d'elles le désert. A l'aube, notre armée aérienne débarquera en territoire ennemi. Elle se compose de cent mille avions, transportant dix millions de guerriers. Chaque appareil, une fois posé à terre, devient une forteresse capable de se déplacer à grande vitesse sur tous terrains. Mais nos vaillants soldats n'auront pas à combattre, car la puissance terrifiante de nos torpilles aura effacé toute trace de vie devant eux. Ils débarqueront dans un pays nettoyé d'hommes. Même les villes souterraines auront été déterrées comme des truffes et pulvérisées par nos torpilles fouisseuses atomiques. Cette heure marquera la fin de notre guerre avec la nation qui nous a provoqués, et mettra un terme au règne de l'homme blanc sur ce continent. Ainsi sera effacé un long passé d'humiliation et de souffrance. Nos ancêtres vivaient en paix dans leurs forêts natales. L'abri des forêts a été violé, nos aïeux ont été arrachés à notre mère Afrique, transportés à des milliers de kilomètres de leur sol natal, battus, traités comme des chiens par les Blancs vaniteux. Après des siècles d'esclavage, nos aïeux réussirent à s'affranchir, demandèrent leur place au soleil. Les hommes blancs n'en continuèrent pas moins à les considérer comme des bêtes. Ils leur réservèrent les travaux les plus sales, les plus humiliants, jusqu'au jour où, jugeant que ces « sales nègres » devenaient trop nombreux, faisaient concurrence à la main-d'œuvre nationale, et menaçaient la sécurité intérieure, ils voulurent se débarrasser de ces hommes dont ils n'avaient plus besoin. Ce fut la tragédie de 1978, les immenses convois de navires transportant un peuple arraché une fois de plus à ses foyers jusque dans ces pays du Sud dont la population dut, sous la menace des canons, accepter ce qu'elle appela l'invasion noire.

« Des envahisseurs malgré eux, près de la moitié mourut de faim. Mais Dieu le Retrouvé veillait sur son peuple. Il permit que quelques hommes se levassent, qui avaient pris aux Blancs le meilleur de leurs sciences. Sociologues, ingénieurs, savants, médecins organisèrent méthodiquement le défrichement de la forêt vierge, firent de ce continent aux trois quarts inhabité un continent habitable. En moins d'un siècle, sous un climat qui nous convient parfaitement, notre population a augmenté dans la proportion de un à cent. Des villes immenses ont été bâties, des usines construites, la technique poussée, dans tous les domaines, au plus haut point de perfection. Alors nos anciens persécuteurs ont pris peur une fois de plus, et voici qu'ils ont déclaré la guerre aux descendants de ces esclaves noirs amenés d'Afrique à fond de cale. Cette guerre, nous la savions inévitable. Il y a vingt ans que nous nous y préparons. Nous la gagnerons. Que dis-je : nous l'avons gagnée. »

En parlant, l'Empereur Noir s'était peu à peu animé. Une joie féroce avait envahi son visage en sueur. Il s'empara tout à coup du masque rouge, et s'avança à grands pas. Il grandit, sortit de l'écran, s'arrêta au milieu du salon, son pied droit planté dans la gerbe d'hortensias. Il éclairait toute la pièce du rayonnement d'or de sa tunique. Les deux hommes, écrasés au fond de leurs fauteuils, le regardaient, immense, brandir au-dessus de leurs têtes la grimace de son dieu.

« Demain l'Amérique, du nord au sud, sera tout entière noire. Que Le Retrouvé soit avec nous. Notre mission ne fait que commencer ! »

Son éclat pâlit tout à coup. En une seconde, le géant disparut. La pièce rouge s'effaça comme lui. Dans le mur du salon, une fenêtre s'ouvrait maintenant sur une place où une multitude de femmes, d'enfants, de vieillards nègres, habillés de vêtements de couleurs violentes, hurlaient leur joie. Une grosse femme se mit à trépigner, les bras levés au ciel. Elle glapissait une prière. Elle déchira ses vêtements. Ses seins, comme

d'énormes outres à moitié vides, roulaient sur son
ventre, d'une hanche à l'autre. Elle se laissa tomber à
terre, les cuisses ouvertes, les yeux révulsés, la bouche
mousseuse. Elle criait toujours. Son cri perçait le
vacarme de la foule. Autour d'elle, l'hystérie gagnait
en tourbillon. Hommes, femmes se roulaient sur le
sol, lacéraient leurs vêtements, se griffaient le visage,
se contractaient et se détendaient en des bonds
sauvages. Bientôt la place ne fut plus qu'une mer de
corps tordus et grouillants, parmi lesquels les petits
enfants innocents jouaient. Une puanteur chaude,
odeur mélangée de tous les mucus, montait de ces
chairs luisantes.

Legrand se leva et ferma l'appareil. L'odeur disparut en même temps que les cris et l'image, mais les
narines des deux hommes en restaient imprégnées.
François tira furieusement sur sa pipe. Legrand passa
sur son visage un mouchoir parfumé d'eau de rose.

Ils ne parlaient ni l'un ni l'autre. Ils étaient atterrés.

Legrand se reprit le premier.

— C'est effrayant, dit-il. Demain, le monde entier
va mobiliser...

François haussa les épaules. L'aspect dramatique
des événements auxquels il venait d'assister l'avait
beaucoup plus ému que les nouvelles elles-mêmes,
auxquelles il s'attendait quelque peu.

— Tout cela, dit-il, est notre faute. Les hommes
ont libéré les forces terribles que la nature tenait
enfermées avec précaution. Ils ont cru s'en rendre
maîtres. Ils ont nommé cela le Progrès. C'est un
progrès accéléré vers la mort. Ils emploient pendant
quelque temps ces forces pour construire, puis un
beau jour, parce que les hommes sont des hommes,
c'est-à-dire des êtres chez qui le mal domine le bien,

parce que le progrès moral de ces hommes est loin d'avoir été aussi rapide que le progrès de leur science, ils tournent celle-ci vers la destruction. Cette fois ce sont les Noirs qui commencent. Dieu sait qui finira. Noirs ou Blancs, j'ai l'impression qu'ils ne seront pas nombreux.

« En attendant, continua-t-il avec un soupir, tâchons d'oublier pendant quelques minutes les catastrophes imminentes. Donne-nous un peu de musique... »

Un air suranné, mélancolique, un air de jazz, répandit dans la pièce sa grâce vieillotte. Les doux gémissements de la trompette bouchée, les soupirs du saxophone, les naïfs roulements de la batterie évoquaient un lointain passé et sa douceur de vivre. Sur l'écran, une série de tableaux se déroulait, extraits de films de l'époque, précieux documents, témoins irrécusables d'un temps révolu. Sur la piste d'un « dancing », des femmes en robes du soir, très décolletées, évoluaient entre les bras d'hommes en habit. Autour d'eux, assis à de petites tables, d'autres couples vidaient des bouteilles de champagne.

Ensuite, une série de gros plans montra des adolescents en train d'échanger de longs baisers dans des décors divers, pendant que des voix de chanteurs de l'époque susurraient des chansons qui parlaient d'amour, de bords de l'eau, de guinguettes, de cascades, de jardins, et encore et encore d'amour. Toujours.

— Ah ! c'était le bon temps ! soupira Legrand.

La voix du speaker lui répondit : « Vous venez d'assister à une rétrospective, *La Vie à Paris en 1939.* »

François, apaisé, rebourrait sa pipe. Soudain, la

lumière de l'écran pâlit, devint grise, s'éteignit presque, en même temps que le son faiblissait. La lumière
de la pièce baissa. Le bruit de la rue se fit plus sourd,
comme noyé dans du coton. Cela dura dix secondes,
puis tout redevint normal.

— Encore des troubles électriques, dit Legrand,
mais cette fois-ci, c'est plus sensible que cet hiver.

— Prends *Dernière Minute*. Si c'est cela, ils vont en
parler.

« ... a gagné la course du tour du monde, Casa-
blanca-Casablanca sans escale, en 10 h 37 mn 13 s. Il a
dit qu'il espérait faire mieux la prochaine fois.
Ici, Dernière Minute!

« Allô! Allô! La déclaration de l'Empereur Noir a
provoqué la plus vive émotion dans le monde entier.
Le Grand Conseil européen a été convoqué immédiatement. De son côté, l'Empereur d'Asie a fait appeler
les chefs de ses gouvernements. On s'attend à des
mesures générales de mobilisation pour demain matin.
On est absolument sans nouvelles de l'Amérique du
Nord. Toutes les communications par câbles sont
interrompues. Quant aux postes de radio, ils ont
arrêté leurs émissions presque tous à la fois. On ignore
si c'est pour éviter d'être repérés ou s'ils sont déjà
détruits. Les postes noirs ont cessé toute émission en
clair, et donnent, de minute en minute, des messages
sonores incompréhensibles. »
Ici, Dernière Minute!

« Allô! Allô! Le ministère de la Défense nationale
et continentale communique : " A partir de la publication du présent avis, il est interdit à tous les Français
des deux sexes, âgés de quatorze à soixante ans, de
s'éloigner de leur domicile ou de leur lieu de travail
habituel. " Allô! Allô! nous répétons... »

— Tu vois, ça commence ! dit Legrand.

— Oui, ça va être le grand ballet, la chorégraphie avec valses de villes et tourbillons de montagnes...

— Chut !

Ici, Dernière Minute !

« Vous êtes nerveux, inquiet ? C'est que votre foie ne va pas ! Prenez des pilules W. 3. »

Ici, Dernière Minute !

« Radio-300 prie les auditeurs de se mettre à son écoute. Le grand gala de lancement de la nouvelle étoile Régina Vox va commencer à 21 heures. Au quatrième top, il sera exactement 20 h 58. Top-Top — Top... »

— Allons, mon vieux, tourne le bouton...

— Ainsi, cette fameuse Régina Vox, dont le nom court les ondes depuis trois semaines, c'est la petite Blanchette, cette gamine à mollets nus dont tu m'avais un jour montré la photo avec des vues de ton pays ?

— Eh oui ! Tu vois, elle a grandi, et elle a fait son chemin...

L'écran devint luminescent, puis fut traversé de mille éclairs en même temps que le haut-parleur entamait une fanfare triomphale. Des soleils, des spirales, des ondes de couleurs naissaient, grandissaient, se pulvérisaient en une pluie de joyaux étincelants, se mêlaient, se combinaient, s'opposaient, se fondaient en des teintes tendres au milieu desquelles éclataient de nouveaux météores. C'était toute la gamme des verts, des bleus comme on n'en voit que dans les arcs-en-ciel, des rouges de brasier, des jaunes de citron sous le soleil tropical, des violets profonds comme des gouffres.

Les parfums du chypre, du santal, de la lavande, de l'œillet, du melon, du jasmin, de l'encens, des pêches

mûres, de la rose, de la banane, du lilas, de la scierie,
du lis, du muguet, du boulanger, de la violette, de la
mer, de l'arum, du cuir se succédaient, brefs, violents
ou discrets, sans jamais se mêler.

Radio-300 préludait.

Une odeur remplaça toutes les autres et persista.
Cela sentait le mur de vieilles pierres ensoleillé, où
poussent la giroflée et l'œillet du poète.

Les couleurs semblèrent obéir à un ordre mystérieux, se disposèrent dans la profondeur de l'écran,
pâlirent, devinrent normales, humaines, et l'image
peu à peu se composa en un visage resplendissant.

— Blanchette ! murmura François.

« Régina Vox ! répondit l'appareil. Régina Vox, le
monde entier vous attend, le monde entier est à
l'écoute. Des millions d'hommes vous regardent,
attendent votre voix miraculeuse. Régina Vox,
chantez ! »

Les lèvres s'entrouvrirent, découvrirent des dents
parfaites.

François crispa ses mains sur les bras du fauteuil.
Le tuyau de sa pipe crissa.

Et d'un seul coup, comme une pierre, le noir
tomba. Le poste, les lumières du plafond, tout, à la
fois, s'éteignit.

— Zut, mon disjoncteur a sauté, c'est bien le
moment ! jura Legrand.

Il se leva. Il se dirigeait à tâtons, se cognait contre
les meubles.

— Tais-toi ! dit François. Écoute...

Il y avait quelque chose d'anormal dans l'air. Il
semblait que la lumière avait emporté, en disparais-
sant, tout le monde extérieur. François et son hôte se

sentaient comme isolés au sommet de quelque montagne, dans l'immense silence vide du ciel.

— La rue..., souffla François.

Il parvint à la fenêtre, tira les rideaux, ouvrit la croisée, se pencha, bientôt rejoint par Legrand. L'obscurité noyait la ville. Et tout le bruit était mort.

Les deux amis apercevaient les silhouettes immobiles des autos se découper sur le plastec luminescent, et les ombres chinoises de leurs occupants qui ouvraient les portières, descendaient, se penchaient sur les moteurs, levaient les bras au ciel. Rapidement, l'éclat du plastec diminua, et la chaussée s'éteignit tout à fait. Rien ne luttait plus contre la nuit que la mince lumière de la lune à son premier quartier, et les éclairs fugitifs de quelques briquets.

A leurs oreilles que n'encombraient plus les ronflements des moteurs, arrivaient des bruits inattendus, des bruits humains. Un homme jurait, une femme criait. Ils entendaient les exclamations stupéfaites de la foule, son piétinement sur le trottoir.

— Tu vois, ce n'est pas ton disjoncteur qui a sauté : il n'y a plus une seule lumière dans la ville.

— Et toutes les autos sont arrêtées.

— Regarde : leurs feux de signalisation sont éteints.

— Mais qu'est-ce que c'est, qu'est-ce qui se passe ?

— Je suppose, dit François, que c'est encore l'électricité qui fait des siennes, comme tout à l'heure. Mais cette fois-ci ça a l'air sérieux. Le plastec luminescent est éteint. Les phénomènes de radio-activité eux-mêmes sont donc touchés. Essaie ton téléphone...

Il craqua une allumette.

Legrand atteignit le mur, appuya sur le bouton, demanda l'un après l'autre trois numéros, s'énerva, frappa à grands coups de poing sur le micro dissimulé dans la cloison, et qui ne répondait pas.

— Rien. Il est mort !...

— Tu vois bien ! Je descends voir la rue de plus près. Tu viens ?

— Allons !

Dans l'escalier régnait un noir d'encre.

Aux paliers, des portes s'ouvraient, des briquets surgissaient, éclairaient des faces inquiètes. Entre le premier et le second étage, deux hommes vociféraient dans l'ascenseur bloqué. La serrure électrique de la porte refusa de fonctionner. Ils entrèrent chez le concierge. Ils le trouvèrent en caleçon, en train d'installer sur sa table un cierge allumé d'un demi-mètre de haut. Il dit en larmoyant :

— Heureusement que j'avais gardé le cierge de quand ma pauvre femme est morte. C'est des souvenirs, et des fois ça sert...

Il ouvrit la fenêtre de sa loge. Les deux jeunes gens l'escaladèrent et descendirent sur le trottoir, au milieu d'une foule dense.

Les cafés, les cinémas, les salles de télévision, les théâtres des boulevards se vidaient de leurs occupants. Des gens, abandonnés par leurs vêtements à fermeture magnétique, s'étaient vus soudain en partie déshabillés. Ils essayaient vainement, sans y rien comprendre, de joindre à nouveau des pièces d'étoffe qui ne voulaient plus se connaître. On regardait avec effarement ces noctambules en tenue légère, que le croissant de lune, dans un ciel extrêmement pur, éclairait d'une lueur blême. La réalité quotidienne avait disparu, laissait la place à l'absurde.

Une femme se crut folle parce que d'un seul coup ses vêtements lui tombèrent aux pieds. Ils ne se

fussent pas conduits d'une telle façon dans un monde
raisonnable. Elle rit de se voir si blanche, nue, sous la
lune de rêve. Elle prit ses seins dans ses paumes et les
offrit à un homme en chemise, qui la regarda, effaré.
Elle avait bien soixante-dix ans. Une autre fuyait en
criant devant l'agresseur invisible qui ne lui avait
laissé que sa ceinture herniaire. Elle courait quelques
pas, se heurtait aux murs, aux gens, aux voitures,
s'enfonçait dans l'épouvante. La panique, peu à peu,
gagnait tout le monde. Hommes, femmes se mirent à
courir dans tous les sens, et chacun murmurait ou
criait sans espoir de réponse la question posée quelques instants plus tôt par Legrand :

— Que se passe-t-il ? Qu'est-ce qu'il y a ? Qu'est-ce
que c'est ? Qu'est-ce qui nous arrive ?

Les esprits ne pouvaient pas comprendre encore, ni
même imaginer quel bouleversant changement venait
de se produire au sein de la nature, et formulaient en
eux-mêmes une réponse rassurante, la seule qui leur
semblât logique :

— De toute façon, ça ne peut pas durer. Tout va
recommencer comme avant, dans quelques instants,
tout de suite...

Mais les instants passaient, et la lumière ne revenait
pas. L'angoisse serrait les cœurs. Si les esprits ne
comprenaient pas le phénomène, les nerfs en sentaient
la gravité.

Il fallait bien, pourtant, que cette foule, nourrie de
logique et de science, trouvât des explications.

— C'est un coup des nègres. Ils nous arrêtent nos
moteurs avec les rayons K à longue portée, cria un
fidèle auditeur de la Radio.

— C'est le gouvernement qui arrête tout pour

empêcher qu'on soit repéré, dit le monsieur qui a confiance dans les autorités.

— C'est la révolution, gémit un petit commerçant.

Avec des variantes, ces explications couraient le long des trottoirs. François haussa les épaules, descendit sur la chaussée, s'approcha d'un chauffeur qui, briquet en main, fouillait son moteur.

— Qu'est-ce qui ne va pas ?

— Je ne sais pas, rien de cassé, mais plus une goutte de jus dans les accus, plus une étincelle aux rupteurs. Et c'est pareil chez tous les copains. Même les atomiques sont à plat, secs comme des éponges...

Il montra d'un geste le troupeau immobile des voitures arrêtées en pleine course.

— Voilà toutes les bagnoles transformées en patins à roulettes !

François se mit à rire, mais une rafale de vent lui fit courber le dos.

Une ombre passa sur la lune et s'abattit avec fracas au milieu du boulevard. Un avion venait de tomber, freiné par son parachute. Celui-ci noyait le trottoir et la chaussée, sur trente mètres, d'une vague presque phosphorescente à force de blancheur. Cinquante personnes se trouvaient prises dans ses plis, et, sous ce piège que leur jetait le ciel, perdaient la tête, hurlaient, mordaient et griffaient le tissu, se débattaient et s'entortillaient de plus en plus.

Du côté de la porte Saint-Martin vint le bruit d'un choc énorme, et le sol trembla. Puis d'autres se firent entendre, un peu partout dans la nuit. Et des cris leur succédaient, gagnaient le long des rues. L'épouvante succédait à l'angoisse. Toute la ville, dans la nuit, criait sa peur.

— Les avions qui tombent !

— On nous bombarde !

— C'est les torpilles des nègres !

— C'est un tremblement de terre !

Leurs moteurs arrêtés comme ceux des voitures, les milliers d'avions qui survolaient Paris étaient en train de regagner le sol par la voie la plus courte. Ils n'obéissaient plus qu'aux simples lois de la pesanteur. Ceux dont le parachute ne pouvait pas jouer, ou que leur élan n'emportait pas jusqu'à la campagne lointaine, tombaient sur la ville comme des pierres.

La foule fuyait dans tous les sens, la panique au ventre ; le sol tremblait, des maisons s'écroulaient.

Soudain, François pensa que, de l'autre côté de l'Océan, l'effroyable envol des torpilles aériennes avait dû s'arrêter net et qu'un grand nombre d'entre elles avaient dû retomber en pays noir. Peut-être la disparition de l'électricité les avait-elle rendues inoffensives. Peut-être, seul, leur moteur propulseur s'était-il arrêté, en pleine trajectoire, et la mort s'était-elle abattue sur ceux-là mêmes qui la destinaient à leurs voisins.

Il serra le bras de Legrand :

— La Nature est en train de tout remettre en ordre, dit-il.

— De quoi ? fit une voix hargneuse.

François leva la tête. Il s'aperçut qu'il tenait par le bras un inconnu. Legrand avait disparu, happé par la foule et l'obscurité.

François lâcha l'inconnu, haussa les épaules. Tout cela n'avait d'ailleurs plus d'importance. La mort subite des moteurs rendait à l'homme et au globe terrestre leurs dimensions respectives. En une seconde, l'Amérique, tout à l'heure si proche, venait de reprendre sa place ancienne, au bout du monde. Si cet état de choses durait, nul ne saurait avant de longues années ce qui s'était passé là-bas ce soir. Chacun allait se retrouver dans un univers à la mesure de l'acuité de ses sens naturels, de la longueur de ses membres, de la force de ses muscles. L'Empereur Robinson entrait dans la légende. La réalité, pour chaque Parisien, se bornait désormais à sa maison, à sa rue, à sa ville.

François décida de gagner rapidement son atelier. Il se mit à courir vers l'Opéra. Une clameur venait de la place. A mesure qu'il s'approchait, il devait lutter contre de terribles bousculades.

Une femme échevelée se jeta contre sa poitrine. Elle criait :

— Ils se battent dans le métro, monsieur, ils se battent comme des rats. Emmenez-moi, monsieur, emmenez-moi.

Il ouvrit les bras qu'elle avait fermés autour de son cou, et les accrocha à celui d'un autre passant.

Des bouches du métro montait un grondement sourd. François, qui se sentait pris d'une curiosité passionnée pour tous les détails de l'étonnant événement, parvint à s'approcher. Des gens montaient en trébuchant les escaliers de sortie et, arrivés à l'air libre, se mettaient à courir.

Un homme, qui portait ses mains devant lui comme un fardeau, s'abattit aux pieds de François. Celui-ci le prit par les mains pour le relever. L'homme hurla.

— Ne me touchez pas les mains !

François le saisit sous les épaules et l'assit sur la balustrade de marbre.

— Que se passe-t-il dans le métro, voyons ? Qu'est-ce qu'il y a ?

L'homme haletait

— Je ne sais pas. Je rentrais de Versailles à
Vincennes où j'habite. J'avais pris la rame directe, au
cinquième sous-sol. Nous roulions depuis deux
minutes quand les lumières se sont éteintes. La rame a
ralenti et s'est arrêtée. Nous avons attendu longtemps ; la lumière ne revenait pas. Alors nous sommes
descendus sur les voies, dans le noir. Nous avons suivi
les rails. Nous nous sommes heurtés dans l'obscurité à
d'autres foules qui venaient d'autres voies, à d'autres
voitures arrêtées. Nous avons marché encore mais il
arrivait toujours, toujours d'autres foules. Nous étions
serrés, serrés, et puis nous n'avons plus pu avancer
parce qu'on poussait dans tous les sens. Nous étouf-
fions et à chaque minute nous étions plus nombreux,
plus serrés. Alors des gens ont crié. Des hommes et
des femmes sont tombés. On a marché dessus. Et puis
des hommes ont voulu allumer un feu dans une
voiture avec des journaux et des morceaux de ban-
quettes, pour y voir clair. Et le moteur de la rame a
pris feu. La graisse, l'huile, je ne sais. Et les gens qui
étaient serrés autour se sont mis à griller comme des
saucisses. Je me suis battu, j'ai grimpé sur des
épaules, j'ai marché sur des têtes, je suis tombé dans
du feu, je ne sais plus... j'ai trouvé un escalier, j'ai
monté, monté, à moitié porté, à moitié écrasé... Et me
voilà... mes pauvres mains... toutes brûlées... Mais
ici, que se passe-t-il ? Pourquoi tout est-il éteint, les
autos arrêtées ? Que se passe-t-il ? Ah ! là-dedans, c'est
l'enfer !...

Il poussa un gémissement et s'évanouit. François le
coucha par terre, recula, sortit de la foule, traversa les
boulevards et la Seine. Partout les gens couraient vers
leur domicile ou vers des abris, car, dans un fracas de
cataclysme, les avions continuaient à s'abattre sur les

maisons qu'ils pulvérisaient, dans les rues où ils écrasaient piétons et voitures.

François se hâtait vers Montparnasse. Il se répétait :

— Je ne puis rien pour elle, rien pour elle, maintenant. Il faut attendre demain…

La pensée de Blanche ne l'avait pas quitté. Il se demandait ce qu'elle avait pu devenir. Il aurait voulu voler à son aide. Mais tant que la nuit durerait, il ne pourrait rien.

Il arriva chez lui, se coucha. Il désirait s'endormir rapidement, pour se trouver reposé au lever du jour, mais son esprit ne le laissait pas en paix. Il se retournait sur son lit, repassait les événements de la soirée, considérait l'avenir, se relevait pour marcher à grands pas, tant l'aventure prodigieuse l'excitait. Le silence était revenu. Il ne devait plus rester un avion en l'air. François se recouchait, s'assoupissait quelques minutes. L'intensité de l'intérêt qu'il portait à l'événement le réveillait peu après. L'aube le trouva debout, s'étirant à grand bruit au pied de son lit. Il n'avait pas dormi deux heures.

Au gala de lancement de Régina Vox, Jérôme Seita avait convié une assistance choisie. Le Tout-Paris, l'élite du monde et du demi-monde, du journalisme, de l'art, de la littérature, du cinéma, de la radio et des affaires, avait pris place dans les somptueux fauteuils de la salle de présentation. Les hommes étaient vêtus de l'uniforme combinaison de soirée, toute blanche, à fermeture d'argent ou d'or. Les femmes portaient, comme il se devait, du bleu sombre. La femme d'un banquier, grande maigre brune, s'affichait avec une adolescente aux yeux battus. Toutes deux avaient revêtu, provocation que des chuchotements réprouvaient, des combinaisons d'un bleu si clair qu'il paraissait blanc.

Dans une loge, à côté de Jérôme Seita, le vieux ministre de la Radio tournait ses regards vers la scène, séparée de la salle par un hermétique mur de plastec. Derrière cet écran transparent allait se dérouler le spectacle transmis à la terre entière par les antennes de Radio-300.

Quand l'obscurité, brusquement, tomba sur la

scène et la salle, quelques rires fusèrent, et les bons amis de Seita se réjouirent de l'incident.

Menuiset, le rédacteur mondain de *Paris-Minuit*, que ses confrères avaient surnommé la « dernière barbe » autant à cause de son style que de son anachronique appendice pileux, ricana et dit à voix haute :

— Le singe a oublié d'allumer sa lanterne !

Ce fut un petit scandale. On se poussa du coude. On fit « oh ! oh ! ». On s'amusait beaucoup.

Aux premières flammes des briquets, quelques cris de surprise, puis des rires fusèrent. Le trop élégant courriériste du *Journal des Modes*, qui prétendait se trouver toujours en avance sur le progrès vestimentaire, était venu vêtu d'une combinaison mosaïque dont les innombrables pièces se joignaient par des fermetures magnétiques. La succession de celles-ci formait une ravissante arabesque d'acier brillant qui tranchait sur le blanc mat du tissu. L'assistance avait beaucoup remarqué ce costume, et voilà que le pauvre homme, effaré, se retrouvait en caleçon à la lueur des briquets, toutes les pièces de ses vêtements à ses pieds. Nul ne savait, et lui moins que personne, qui lui avait joué ce tour, mais chacun le trouvait bien drôle.

Jérôme, aussitôt la lumière éteinte, s'était précipité dans l'escalier qui, de sa loge, menait aux coulisses.

A tâtons, il arriva dans la salle de direction de l'émission, et cria dans le noir furieux :

— Le maître, êtes-vous là ?

— Me voilà, monsieur, répondit la voix de l'ingénieur en chef.

— Mais vous êtes fou ? Qu'attendez-vous pour nous brancher sur notre groupe électrogène ?

— Il est en panne, monsieur.

— Et le groupe atomique ?
— Il est à plat !
— Et les accus ?
— Vides !
— Et les piles ?
— Mortes !...

C'était la catastrophe. Seita essaya de comprendre. Il ne vit qu'une explication.

— C'est un complot.

La colère le prit :

— Salauds ! Ils vont me payer ça ! Lemaître, appelez la Préfecture de Police.

— Le téléphone ne marche pas, monsieur. J'ai essayé en vain d'appeler le bureau du Secteur.

— « Ils » ont aussi saboté le téléphone ? C'est effarant. Eh bien, descendez jusqu'au poste de police du rez-de-chaussée et ramenez un commissaire. Mais dépêchez-vous, voyons !...

— L'ascenseur est bloqué, monsieur.

— L'ascenseur ?...

Il n'eut pas la force d'en dire plus. La voix calme de Lemaître reprit :

— Je vous ferai remarquer, monsieur, que la panne semble générale, et que, s'il y a complot, il n'est pas seulement dirigé contre notre poste. Si vous voulez jeter un coup d'œil par ici...

Jérôme Seita s'approcha du mur de façade, qui se découpait en une lueur très pâle sur l'obscurité de la pièce.

Il colla la tête à la vitre épaisse. Ce qu'il vit mit le comble à son désarroi. Paris avait disparu. Un gouffre noir remplaçait le grouillement habituel des lumières.

Le pressentiment d'un énorme malheur lui serra la poitrine. Puis il se sentit consolé : Radio-300 n'était pas responsable de son fiasco. Tout semblait arrêté dans la capitale. Il serait facile de s'excuser auprès des auditeurs, tout à l'heure, quand la vie reprendrait. Il se cambra, comme pour faire face aux détracteurs, et passa son doigt sur sa moustache ; mais un choc énorme lui faucha les jambes et le jeta à terre. Dans la pièce, tous les meubles renversés s'abattirent. Ingénieurs, mécaniciens, machinistes roulèrent sur le sol. Comme ils se relevaient, un second choc, presque aussi violent que le premier, les plaqua de nouveau sur le parquet.

— Malheur !... nos appareils !.. s'écria Lemaître.

Il alluma son briquet et, suivi de Seita, franchit la porte du laboratoire d'émission. Il aperçut un chaos de fils, de lampes, d'appareils délicats renversés, enchevêtrés, au milieu desquels se débattaient quelques hommes, pris sous les décombres. Il appela à son aide, et entreprit de dégager ses collaborateurs, pendant que son patron reprenait le chemin de la salle de spectacle.

La plus grande confusion y régnait. Le personnel de la salle avait commencé à faire circuler des moyens d'éclairage de fortune lorsque le premier choc s'était produit, avait éteint bougies et briquets, et jeté l'émoi dans l'assistance. Chacun s'était levé de son fauteuil pour s'y trouver précipité aussitôt par la deuxième secousse. D'autres s'étaient produites depuis, et dans l'obscurité que recommençaient à percer les flammes tremblantes, les questions et les réponses qui s'entrecroisaient montraient le désarroi de tous.

Jacques, de sa loge, s'adressa à l'assistance, pria ses invités de se rasseoir et de patienter.

— Certainement, tout va redevenir normal d'une minute à l'autre, dit-il. Malheureusement la représentation de notre gala ne pourra être reprise, nos appareils sont en morceaux. Mais je vous conseille d'attendre que le courant soit rétabli pour vous en aller, car les ascenseurs ne fonctionnent pas.

— Oh !... fit l'assistance.

— Quant à la cause de cette panne générale d'électricité et de ces chocs qui ont ébranlé toute la Ville. Radieuse, je ne la connais pas mieux que vous.

A peine avait-il fini de parler qu'un choc plus violent encore que les deux premiers fit sauter sur place les lourds fauteuils. Des morceaux de plafond tombèrent sur l'assistance. Le ministre, dont le front saignait, se leva.

— Allons-nous-en !... Allons-nous-en, glapit-il d'une voix pointue. Mais je retourne près de ma femme. Allons-nous-en...

— Il vous faudra descendre à pied les quatre-vingt-seize étages, prévint Seita.

— Tant pis, tant pis, allons-nous-en, allons-nous-en !

Dans un brouhaha de voix effrayées, ou indignées, tous les spectateurs se levèrent, reprirent en chœur la dernière phrase du ministre :

— Allons-nous-en !...

Jérôme Seita, son briquet en main, indiqua le chemin de l'escalier.

Au bout d'un couloir, il ouvrit une grande porte et se trouva sur le palier.

— Heureusement, dit le vieux petit ministre en se frottant les mains, heureusement que j'habite ici, au trente-septième étage. Je n'aurai pas à descendre jusqu'au bout !

L'escalier s'ouvrait, large, noir, et plein de bruits étranges. Les petites flammes brandies par quelques

hommes éclairaient les premières marches. Les sui-
vantes disparaissaient dans l'obscurité d'où montaient, en échos multipliés, des exclamations, des
murmures.

Jérôme Seita s'effaça. Après quelques secondes
d'hésitation, les invités commencèrent à descendre.
Un tapis assourdissait le piétinement de leurs pas. Les
femmes s'accrochaient aux hommes, qui grognaient.
Quelques bougies s'éteignirent, la troupe, d'abord
compacte, s'étira. De toutes les portes sortaient des
gens inquiets qui se mettaient à descendre. Aucune
fenêtre ne s'ouvrait sur l'escalier. La nuit l'emplissait,
à peine combattue par les flammes hésitantes des
briquets.

Le vieux petit ministre tout blanc avait commencé
par compter les paliers. Il s'arrêta, angoissé. Combien
en avait-il déjà passé ? Celui-ci, était-ce le dix-septième ? Il lui semblait qu'il avait déjà compté dix-sept
au palier précédent. Voyons, était-ce dix-sept ou dix-
huit ? Quel terrible problème ! S'arrêter plus longtemps ne le résoudrait pas. « Je vais compter dix-sept
et si je ne trouve pas mon appartement, je descendrai
un étage de plus. » Il repartit, soulagé. Autour de lui,
le bruit s'enflait. Les parents, les amis, qui se
parlaient à voix basse, soudain ne se trouvaient plus,
et s'appelaient avec des cris répercutés par l'écho,
accompagnés du roulement assourdi de mille pieds sur
le tapis. La fatigue et l'énervement gagnaient. Il
semblait que jamais, jamais, on n'atteindrait le sol.

— Un étage de plus ? Non, voyons un étage de
moins... Il faudra que je remonte.

Que je remonte ou que je redescende ?

Le petit ministre tout vieux, tout blanc, s'arrêta de
nouveau, repartit, hésita, passa, dans son désarroi, un

nouveau palier sans le compter, s'en aperçut dix
marches plus bas, craignit d'en avoir passé plusieurs
de la même façon, se mit à pleurer comme un petit
enfant, tout à fait découragé, descendit marche après
marche en reniflant et marmottant, perdit complètement le fil de son compte, continua de descendre
quand même, sans bien savoir où il allait, parce que
ses genoux pliaient, parce que tout le monde descendait, parce qu'on le poussait, parce qu'il fallait bien
descendre quelque part.

Quelqu'un, dans l'ombre, pensa qu'il convenait de
profiter d'une si providentielle obscurité. Un homme
buta contre un autre homme qui s'était arrêté pile sur
une marche. Il voulut passer à côté. Mais l'importun
se tint collé à lui et se déplaça, du même côté, en
même temps que lui.

— Voyons, monsieur, dégagez ! Laissez-moi
passer !

L'homme sentit son irritation se changer en terreur.
L'inconnu venait de nouer autour de son cou une
main énorme. L'autre main fouillait ses poches. Il
parvint à se dégager, reprit son souffle, bouscula son
agresseur et fonça dans le noir, en criant : « A
l'assassin ! »

Une bousculade secoua la foule. Des corps tombèrent, roulèrent les marches. Des hommes plongeaient,
les poings en avant, des femmes se serraient dans les
coins des paliers, hurlaient, écarquillaient les yeux,
criaient à la lumière, demandaient la fin de ce noir.

— Ne vous occupez pas des autres, voyons, André !
grinça une voix tout en haut. Soutenez-moi. Un jeune
homme comme vous doit bien avoir la force d'aider un
pauvre vieillard à descendre quelques étages !

— Appuyez-vous sur moi, mon oncle.

— Mais marchez donc du côté de la rampe, André !
A quoi pensez-vous ? Vous êtes bien toujours le même
écervelé ! Ah ! ah ! ricanait la vieille voix dans la nuit,
vous pensez encore à mon héritage ! Vous en perdez la
tête ! Vous y pensez trop ! Ah ! ah ! ah !... Mais que
faites-vous ? Vous voulez me porter ? Que de soins
pour un vieil oncle ! Mais... Andrééé...

Quand il eut jeté son oncle par-dessus la rampe, le
jeune homme se trouva tout léger. Il se frotta les
mains, et descendit trois marches en dansant. Déjà le
hurlement d'agonie du vieillard se trouvait très bas au-
dessous de ses pieds, passait à côté de chacun comme
une fusée plongeante, tombait, tombait, toujours plus
bas, plus loin, infiniment. Rien ne l'arrêtait.

Le cri d'horreur trouva son écho dans toutes les
gorges. Il ne subsista plus, du haut en bas, le moindre
sang-froid. Chacun se battait avec tout ce qu'il
rencontrait, tombait, se relevait, tombait de nouveau,
criait, haletait, suait de peur. La bousculade avait
éteint toutes les flammes. Du haut en bas de l'escalier
interminable, c'était, dans le noir total, une avalanche
de démence et de terreur.

Quelques hommes arrivèrent jusqu'en bas. Mais
rien ne marquait le palier du rez-de-chaussée. Ils
descendirent dix étages de sous-sol, se trouvèrent à
bout de marches, se heurtèrent dans le noir à des
machines silencieuses, encore tièdes, promenèrent
leurs mains tremblantes sur les aciers immobiles, se
perdirent dans les salles de cette usine démesurée,
cherchèrent l'escalier pour remonter, ne le trouvèrent
plus, tournèrent dans la nuit, appelèrent, n'éveillèrent
que d'autres voix perdues et des échos lointains,
marchèrent jusqu'à l'épuisement de leur espoir,
s'écroulèrent dans quelques coins de ce labyrinthe de

ténèbres, éperdus d'étonnement et d'horreur. Ils ne
voulaient plus rien tenter, ils ne pouvaient plus. Ils
attendaient la lumière ou la mort.

Comme un fétu par un ouragan, le petit ministre
tout blanc fut emporté jusqu'au plus bas de la
descente. Rompu par mille coups, la chair doulou-
reuse, l'esprit éperdu, il parvint enfin, cela semblait à
peine croyable, en un lieu où « ça ne descendait
plus ». Chaque fois qu'il mettait le pied devant lui, il
trouvait le sol à la même hauteur que sous son autre
pied. Il essayait encore, et le sol se trouvait toujours là,
bien plat, fidèle.

Le vieux petit ministre s'en fut ainsi, les mains en
avant, un sourire d'extase aux lèvres, pour bien
profiter de ce sol enfin tout de niveau. Il marcha
longtemps. Il tournait à droite, à gauche, pour voir si
c'était bien partout pareil. Il ne rencontrait aucun
obstacle. Enfin ses mains se posèrent sur un mur. Il
poussa. Le mur céda. C'était une porte. Et derrière
cette porte, ô miracle, brillait la lumière.

Il entra, se trouva dans une grande rue. De chaque
côté de la rue, derrière d'épaisses vitrines, des
hommes en habit noir, des femmes en robes roses à
fleurs bleues le regardaient passer. Les uns étaient
assis, d'autres debout, tous vêtus de la même façon.
Leur nom était écrit sur le haut de la vitre. Le vieux
ministre avança. D'autres grandes rues coupaient la
première et s'étendaient jusqu'à l'infini dans un grand
silence. A chaque carrefour, une veilleuse emplie
d'huile parfumée pendait au plafond et brûlait d'une
flamme douce. Après cette bousculade, le vieux petit
ministre fut heureux de se trouver parmi des gens si
parfaitement immobiles. Il se sentit très las. Il s'approcha d'une vitrine derrière laquelle souriait une

jeune fille, seule. Elle avait de grands yeux, couleur d'étang, et la lueur d'une veilleuse dorait ses joues pâles. Il lut son nom sur la vitre, se coucha à ses pieds, ferma les yeux en soupirant : « Alice », et s'endormit au milieu des morts qui, imperceptiblement, commençaient à se réchauffer.

Son dernier invité parti, Jérôme Seita, tristement, avait refermé la porte et s'en était allé en hâte vers la scène. Il pensait à Régina. Il la trouva assise, paisible. Autour d'elle, acteurs, machinistes, auteurs, techniciens discutaient par petits groupes, autour de quelques maigres lumières.

Ils questionnèrent Seita. Ils espéraient en tirer quelque certitude :

— Ce qui se passe ? Je ne le sais pas mieux que vous. Ce que vous devez faire ? Je vous conseille de rester là jusqu'à ce que tout redevienne normal. Cet état de choses ne peut pas durer, vous le comprenez bien. Les pouvoirs publics sont certainement en train de prendre déjà les mesures nécessaires. Ne vous inquiétez pas. Ils ne peuvent pas laisser longtemps une ville privée de force et de lumière. Quant aux appareils, ils sont évidemment bien endommagés. Mais dès demain matin nous mettrons à les réparer ou les remplacer le nombre d'ouvriers nécessaire et nous reprendrons nos émissions demain soir...

Il se rassurait en parlant. Il donna des ordres pour que chacun fût à son poste à la première heure. Il chargea Lemaître de la remise en état du poste. Il dicta douze messages téléphoniques à une vieille secrétaire de la rédaction, qui se trouvait là par hasard. Elle les nota sur le dos des programmes, à la lueur d'une bougie, avec son crayon à sourcils. A prévoir ainsi le retour de tout ce qui venait de disparaître, Seita se donnait l'impression de hâter ce retour. Il revint vers Blanche.

— Pour l'instant, vous ne pouvez rentrer dans votre chambrette du Quartier Latin, dit-il. Je regrette que votre appartement d'ici ne soit pas tout à fait prêt. Je vous conseille de venir vous reposer un peu chez moi...

Il prit la jeune fille par le bras et la conduisit jusqu'à son appartement.

Ils allèrent droit au mur vitré, penchèrent leurs regards sur Paris.

Très loin, au nord, un incendie teignait en rouge sombre un petit coin de ciel. Partout ailleurs, c'était l'obscurité totale.

De nouveau, Seita se sentit saisi par l'angoisse de l'inexplicable. Des choses graves se passaient. Mais lesquelles ? Il se redressa. Après tout, n'était-il pas à l'abri de tout ? La guerre ? Il serait mobilisé sur place par le ministère de la Propagande. Quelles belles émissions, dramatiques, sensationnelles, il pourrait monter !

La révolution ? Son avion stratosphérique de course, construit spécialement pour lui, l'emmènerait en peu de temps, sans danger de poursuite, jusqu'aux antipodes, si c'était nécessaire. Où qu'il se posât, il trouverait un compte en banque au nom de Seita.

Rassuré, il se prit à rire.

— Quoi qu'il arrive, dit-il à la jeune fille, c'est

peut-être ennuyeux, mais, au fond, sans grande importance. Nous arrangerons tout cela. Vous allez vous étendre sur mon lit. Je veillerai sur vous et si, demain matin, tout n'est pas rentré dans l'ordre, s'il y a le moindre danger pour vous à rester ici, nous prendrons l'avion, et nous irons attendre, peut-être dans mon château de Touraine, peut-être dans ma villa de Pompéi, peut-être ailleurs, n'importe où, que tout redevienne normal.

Elle répondit par un soupir. Elle ne se sentait plus de force, plus de courage. Ce qui se passerait demain ne l'intéresserait pas. Son avenir, c'était ce soir même qu'elle aurait dû le jouer. Le destin ne l'avait pas permis. A peine avait-elle ouvert la bouche qu'un mur noir s'était fermé autour d'elle comme une prison. Tout était bien fini. On ne manque pas impunément une pareille occasion. Elle ne serait jamais vedette. C'était raté.

Seita s'approcha d'elle et voulut la prendre dans ses bras. Elle se dégagea :

— Laissez-moi !

— Régina, mon petit, voyons !... Il ne faut pas vous affecter ainsi. Demain...

— Je ne suis pas Régina ! Je ne serai jamais Régina...

Elle se jeta sur un divan que les ébranlements subis par la ville avaient déplacé presque jusqu'au milieu de la pièce, et se mit à sangloter. Demain ! Que lui parlait-il de demain ! Elle n'avait pas besoin d'explications. Elle savait bien que son brillant avenir s'était effacé comme la lumière. Demain, c'était le retour au passé. Demain, elle redevenait Blanche Rouget. Tout cela n'avait été qu'un rêve. Elle venait de se réveiller, en pleine nuit...

Elle portait une robe blanche brodée de paillettes
colorées. Ses sanglots faisaient bouger aux murs et au
plafond de pâles étincelles. Elle se calma peu à peu.
Elle se sentait terriblement lasse. La déception l'avait
brisée comme une chute. Elle renifla, soupira, abandonna tout espoir et tout regret pour se laisser
submerger par la fatigue comme par la marée. Elle
s'endormit.

Seita étendit sur elle une couverture. Puis il fit le
tour de son appartement. Il essaya tous les téléphones,
appuya sur tous les boutons, tourna toutes les
manettes. Rien n'obéit. Tout était silencieux, immobile...

François s'assit sur le bord de son lit, réfléchit quelques minutes, et arrêta rapidement un plan d'action. Il mit dans un sac quelques objets, fixa le sac sur ses épaules et sortit.

Il s'arrêta pour écouter la capitale. Un silence énorme pesait sur elle. Il entendit, dans une rue voisine, quelqu'un marcher. Le bruit de pas de ce promeneur matinal emplissait la rue, le quartier, toute la ville. Dans un square proche, quelques oiseaux saluaient le jour en pépiant. Il les entendait s'ébrouer au milieu des feuilles.

François hocha la tête, et partit à grandes enjambées dans la direction de la Ville Radieuse. La température avait à peine baissé pendant la nuit, mais l'air était plus léger, débarrassé des déchets de combustion des moteurs. Le long des rues, les autos abandonnées prenaient déjà des airs d'épaves. François passa sans s'arrêter près d'un pâté de maisons sur lesquelles était tombé un énorme avion-cargo. Sur près de deux cents mètres, tous les immeubles avaient été aplatis. Des maisons et de l'avion, il ne restait que des débris méconnaissables. Le jour venant, les pompiers essayaient de retrouver, dans cet amas, quelques victimes.

A mesure que François approchait de la Ville Radieuse, il rencontrait de plus en plus de gens qui s'en allaient, valises ou paquets en main, l'air effaré.

Il parvint enfin entre les pilotis qui soutenaient les autostrades et le colossal édifice. Près des piliers centraux, percés de six portes géantes, des hommes, des femmes allaient, venaient, couraient, retournaient sur leurs pas, désemparés, comme des fourmis dont on eût ébranlé, à coups de talon, la fourmilière.

François prit un des escaliers, monta jusqu'au hall qui se trouvait au niveau des autostrades. L'immense place intérieure, grande comme la place de la Concorde, entourée de boutiques de luxe, de cafés chics, de restaurants, de salles de cinéma, de théâtre, de télévision, habituellement scintillante de mille feux sous son dôme couleur de ciel, était ce matin plongée dans la pénombre. Un jour livide lui parvenait par les murs vitrés qui s'ouvraient sur les autostrades, au nord, au sud, à l'est et à l'ouest.

Sans hésiter, François, qui connaissait bien ces lieux, rendez-vous et promenade du Tout-Paris, vint jusqu'au centre de la place. Là, une colonne tronquée, hexagonale, haute de près de vingt mètres, taillée dans un seul bloc de marbre blanc, portait sur ses six faces le plan des bureaux et appartements desservis par les cent vingt-six ascenseurs publics et les soixante-trois escaliers.

Au bas de la colonne, sous la lettre R, il trouva, écrit en lettres d'acier chromé, ce qu'il cherchait :

Radio-300 3-96-17.

Cela signifiait : Aile 3, 96ᵉ étage, dix-septième couloir.

Sur la face 2 de la colonne, François vit que les couloirs 17 de l'aile 3 étaient desservis par l'escalier 31-2.

A ses pieds, sur le sol, une mosaïque lui indiqua la direction qu'il devait prendre pour trouver la porte et l'escalier qui l'intéressaient.

A la même heure, dans la salle des Conseils du ministère de l'Air, se tenait, sous la présidence du ministre de l'Air, chef du gouvernement, le plus étrange Conseil que les vieux murs eussent jamais vu se dérouler.

Les huissiers étaient partis dans la nuit, qui à pied, qui à bicyclette, dans tous les coins de Paris, convoquer les ministres. Ceux-ci étaient arrivés mal éveillés, avec les barbes de la veille. Ils n'avaient plus l'habitude de marcher. Et la stupéfaction, autant que la fatigue, leur coupait le souffle. Ils arrivaient dans la salle où sur les candélabres, qui retrouvaient leur rôle délaissé, brûlaient des bougies dont la cire tachait déjà le parquet.

Son Excellence Tapinier, chef du gouvernement, entra quand le jour fut levé. C'était un homme jeune, aux manières brusques. Il prit aussitôt la parole :

« Messieurs, bien que nous ne soyons pas au complet, j'ouvre la séance, car il est maintenant inutile d'attendre davantage nos collègues manquants. Le ministre des Travaux publics voyage en province, le ministre de la Radio doit se trouver encore au quatre-vingt-seizième étage de la Ville Radieuse, l'huissier n'a pas pu pénétrer dans la maison de notre collègue du Commerce, dont les portes électriques étaient bloquées. Le ministre des Sports s'est jugé incapable de venir à pied de Passy. Quant au ministre de la Guerre, nous ne savons pas ce qu'il est devenu.

« Je dois vous faire savoir que je viens d'envoyer chercher Paul Portin, le vénérable président de l'Académie des Sciences, le physicien de réputation mondiale. En attendant son arrivée, j'ai de tristes nouvelles à vous communiquer... »

Le ministre des P.T.T. l'interrompit brusquement. C'était un homme congestif, trapu, qui répondait au nom bien français de Dufour. Il frappa sur la table et se leva. Il était écarlate.

— Mon cher Tapinier, ce que vous devez d'abord nous dire, c'est la vérité. *Qui* nous a coupé l'électricité? Si c'est un coup de la réaction, je déclare solennellement, au nom du peuple que je représente, que les ouvriers ne se laisseront pas ainsi ôter de la bouche le travail et le pain de leurs enfants !

Cette intervention provoqua une explosion de cris, de protestations ou d'approbations violentes.

Les trente et un ministres présents se levèrent et se mirent à parler tous à la fois. Le plus excité de tous, le baron de Bournaud, ministre du Progrès social, un des trois Parisiens qui s'habillassent encore à la mode du siècle dernier, en pantalon, gilet et veston, glapit en brandissant son monocle :

— La réaction ? Vous nous la baillez belle, monsieur Dufour. Dites que c'est là l'œuvre bien reconnaissable des incendiaires et des coupe-jarrets de vos syndicats d'extrême gauche, qui veulent ainsi prolonger les trois mois de congés payés que leur octroient leurs malheureux patrons. Voilà où nous conduit la lâcheté de l'élite devant les exigences toujours grandissantes de la racaille ! Mais cette manœuvre n'éteindra pas les lumières de la culture et de la tradition française, et, dussions-nous périr sous le couteau des brutes avinées, nous les défendrons jusqu'à la dernière goutte de notre sang.

— Dufour a raison ! clama le ministre de l'Instruction publique, Son Excellence Lavoine, un gaillard brun, barbu jusqu'aux yeux. Il n'est pas difficile de reconnaître là la main vipérine des curés qui cherchent à replonger le peuple dans les ténèbres du Moyen Age.

— Mon Dieu, pardonnez-lui, il ne sait ce qu'il dit, murmura l'abbé Legrain, rond et rose ministre de la Santé morale. A moins qu'il ne veuille donner le change et défendre ses amis francs-maçons...

— Messieurs, messieurs, je vous en prie !...

La voix tonnante de Tapinier ramena le calme.

— Messieurs, que dirait le pays s'il vous voyait, le pays qui a le droit de compter, aujourd'hui plus que jamais, sur son gouvernement d'Union nationale, pour tenir ferme, au milieu des récifs et des tempêtes créés par la situation nouvelle, le gouvernail de la Nation ! Faites taire vos ressentiments. Il ne s'agit pas de complot. L'événement est beaucoup plus grave. Les circonstances actuelles, que je vais vous exposer, vont demander, des hommes au pouvoir, de vous et de moi, mes chers collègues, une somme peu ordinaire de travail, de dévouement à la chose publique et d'abnégation devant les intérêts de la Patrie. Je suis sûr de pouvoir compter sur chacun de vous. Je vous demande de répondre « Présent ! » « Vive la France ! »

Galvanisés par la sobre éloquence du chef du

gouvernement, les ministres crièrent en chœur « Vive
la France ! » et, après quelques secondes de silence,
reprirent place dans leurs fauteuils.

— Comme je viens de vous le dire, continua
Tapinier, il ne s'agit pas d'un complot, mais d'un
événement d'ordre scientifique et naturel, ainsi qu'il
ressort du premier rapport que m'a fait parvenir Paul
Portin, qui va venir lui-même, tout à l'heure, exposer
devant vous le résultat de ses observations. Plusieurs
fois, au cours de l'hiver dernier, des troubles électriques s'étaient déjà produits, et hier, au début de la
soirée, des postes du monde entier ont signalé une
nouvelle baisse du courant. Peu après, il disparaissait
complètement. Tout nous permet de penser que le
phénomène est mondial. Sur la terre entière, les
moteurs, atomiques ou à combustion, se sont arrêtés.
Tous les avions en vol sont tombés. Je frémis en
imaginant ce qu'ont dû devenir les trains électriques
lancés à pleine vitesse, sans freins, sur les voies aux
aiguilles brusquement déréglées. Parlons de la France,
puisque c'est la France qui nous a confié ses destinées.
Dans tous les coins de notre pays de terribles catastrophes ont dû se produire. Nous avons également à
déplorer de nombreux accidents dans des usines où
fonctionnaient des dispositifs de réglage et de sécurité
électriques. Dans le métro, les accidents ont été nombreux et la panique effroyable. Bref, messieurs,
nos faibles moyens d'information, puisque radio,
téléphone, télégraphe, rien ne fonctionne plus, nous
font craindre que ce brusque caprice de la nature n'ait
déjà fait chez nous des dizaines de milliers de victimes...

A ce moment, la porte de la salle du Conseil s'ouvrit
avec fracas, et le général Morblanc, ministre de la

Guerre, parut sur le seuil. Il était en civil, dans un costume d'un rouge éclatant, mais toute son allure trahissait le militaire. Ses moustaches blanches pointées droit en avant frémissaient. Ses jambes tordues en forme de parenthèse, qui laissaient deviner qu'il avait fait carrière dans l'éternelle arme d'élite, la cavalerie, piaffaient sur place. Il leva vers le plafond ses deux mains, dont l'une serrait une cravache, et s'écria :

— Messieurs, je viens de sauver la France !

Cette phrase fit sensation.

— Dieu vous entende ! dit l'abbé Legrain.

— Mon cher général, expliquez-vous, demanda le chef du gouvernement.

Le général Morblanc s'approcha d'un bout de la table, posa bruyamment sa cravache et commença son exposé :

— Messieurs, dit-il, on n'en raconte pas à un vieux militaire blanchi sous le harnois. Ces histoires de nègres ne me disaient rien qui vaille — rien qui vaille. Ça sentait d'une lieue sa diversion. Mais je veillais. Aussi, hier soir, quand l'électricité vint à flancher, il ne me fallut pas trois secondes — trois secondes — pour deviner là une manœuvre de l'ennemi héréditaire...

Un concert d'exclamations l'interrompit.

— Mon cher général, fit remarquer courtoisement Tapinier, vous semblez oublier que la France a fait la paix avec le reste de l'Europe depuis un siècle et qu'elle entretient les meilleurs rapports avec les autres continents...

Le ministre de la Guerre était devenu rouge brique. Il frappa sur la table :

— Z'êtes idiot ou vendu ! cria-t-il. La France a toujours eu un ennemi héréditaire, qu'il soit à l'est, au

nord ou au sud. L'armée est là pour le combattre. Elle
ne faillira pas à son devoir !

Tapinier ne voulut pas relever l'injure, fit un geste
résigné de la main, et laissa parler le général.

— L'ennemi a cru nous désarmer, poursuivait
celui-ci. Mais il ne nous aura pas. Je dois vous dire
exactement ce qui se passe. Cette nuit, dans le stand
souterrain de Plessis-Robinson, une compagnie de
gardes nationaux effectuait un tir à obus traçants au
canon mitrailleur. Messieurs, tous les canons mitrail-
leurs ont éclaté. Éclaté. Les canons en poussière — en
poussière. Les hommes grièvement brûlés. Le capitaine qui commandait le tir a fait aussitôt essayer une
mitrailleuse. Éclatée ! Un fusil, une mitraillette, un
revolver. Éclatés ! Le colonel, averti, m'a envoyé une
estafette à cheval.

« Dans le stand de tir d'une caserne de Paris, j'ai
fait immédiatement effectuer, à la lueur des bougies,
des tirs avec les armes les plus anciennes et les plus
neuves. Toutes ont éclaté. Et pas de morceaux,
messieurs, de la poussière, de la poussière ! Ce qui
rend les grenades elles-mêmes inoffensives. Quant aux
armes à moteur, volantes, rampantes ou fouisseuses,
elles ne veulent pas démarrer ! »

Le général ricana.

— Plus de rayons K, plus d'armes à feu, l'ennemi
croyait peut-être que nous allions nous livrer, pieds et
poings liés, à ses hordes barbares ! Heureusement
pour la France qu'aux heures graves la Providence lui
envoie toujours les hommes dont elle a besoin.
Messieurs, depuis que je suis au ministère de la
Guerre, j'ai fait fabriquer secrètement, et dissimuler
dans tous les coins du pays, d'énormes stocks de
baïonnettes modèle 1892, modifié 1916. Messieurs, la

baïonnette est l'arme traditionnelle du soldat français. Je savais que son heure reviendrait. La voilà revenue. L'ennemi peut arriver, nous l'attendons de pied ferme ! Je vais, de ce pas, faire distribuer les baïonnettes à la troupe. Une fois de plus, Rosalie sauvera la France !

Le ministre de la Guerre regarda le chef du gouvernement d'un air de défi, ramassa sa cravache, en donna un grand coup sur la table, fit un brusque demi-tour, et sortit.

— Messieurs, dit Tapinier, je vous prie de ne retenir de cette intervention que le fait que les armes à feu sont désormais inutilisables. Sans doute, en même temps que l'électricité disparaissait, les métaux ont-ils subi une transformation qui les a rendus incapables de résister au choc de l'explosion.

— Je puis vous donner une précision à ce sujet, intervint S. E. Meunier, ministre de la Production et de la Coordination. Dans de nombreuses usines, des chaudières ont éclaté. Il semble que ce soit la conjonction d'une température élevée et d'une forte pression qui rende certains métaux fragiles. Car des réservoirs de gaz comprimés et des chaudières en cuivre sont restés intacts, alors que toutes les chaudières en métaux ferreux ont été pulvérisées. Il y eut malheureusement, autour d'elles, de nombreux morts et des blessés. En tout cas, nous voici privés d'usines et de moyens de transport. Monsieur le chef du gouvernement, je n'ai plus de raison d'être. Je vous prie d'accepter ma démission.

Le ministre des Finances, S. E. le banquier Colastier, se dressa tout à coup comme si son fauteuil se fût hérissé d'épines.

— Messieurs, messieurs, s'écria-t-il, il me vient

tout à coup une pensée effroyable : sans électricité,
nous sommes également sans or. Le nouveau système
de défense de la Banque de France, inauguré l'an
dernier, était entièrement électrique. Les caves où
dort notre réserve sont bloquées par quatre portes
successives, en nickel massif, de trois mètres d'épaisseur, à serrures à ondes courtes, et mues par des
treuils électriques. Rien au monde ne pourra les faire
bouger...

Alors le docteur Martin, ministre de la Médecine
gratuite et obligatoire, se leva. Son visage était blême,
ses yeux semblaient fixes sur quelque abominable
spectacle. Il ouvrit la bouche. Tous ses collègues,
tournés vers lui, se turent, oppressés.

— Mes chers collègues, dit-il d'une voix basse,
vous venez d'entendre de terribles nouvelles. Elles
sont sans importance auprès de celle que je vais vous
apprendre. La population urbaine de la France est
composée de cent cinquante millions...

— Mais, mon cher docteur, vous vous trompez,
interrompit le chef du gouvernement.

— Laissez-moi terminer, je vous en prie. Je dis
bien cent cinquante millions d'habitants, dont quatre-
vingt millions de vivants et soixante-dix millions de
morts, tendrement conservés au sein des familles, ou
dans les sous-sols des villes. Or, si l'électricité ne
revient pas rapidement, les morts vont mettre les
vivants à la porte. Messieurs, les morts sont en train
de dégeler !

Sur la vaste place du Procès, devant le ministère de l'Air, la foule commençait à s'amasser. Privés à la fois de métro, d'autobus, de taxis, de travail, de journaux et de radio, les Parisiens, désorientés, cherchaient des nouvelles. Ils devinaient confusément, sans la connaître encore, toute l'étendue du désastre, et se rapprochaient de l'Autorité. Bourgeois, ouvriers, fonctionnaires, commerçants se trouvaient solidaires devant le malheur. Ils se sentaient dépouillés de leurs différences sociales. Ils s'adressaient la parole sans se connaître, sur ce ton cordial, légèrement ému, que l'on prend pour se parler entre membres d'une famille éprouvée. La menace d'un grand malheur les disposait à oublier pour un instant leurs petits ennuis. Ils étaient prêts à tout se pardonner. Chacun pensait qu'il aurait peut-être besoin de son voisin, et se sentait disposé, à la rigueur, à lui rendre service.

Le soleil à son lever peignait de rose le haut des maisons. Un remous se produisit dans la foule. Un étrange attelage venait d'arriver sur la place et tentait de la traverser. Deux huissiers, vêtus de leur costume traditionnel, en culotte et la chaîne au cou, tiraient

une antique, brimbalante charrette à bras. Sur la
charrette, un fauteuil se trouvait attaché, et dans le
fauteuil, un vieillard assis. La foule le reconnut. Elle
avait vu mille fois, à la radio, le visage, tout de blanc
encadré, de Paul Portin, le presque centenaire président de l'Académie des Sciences. Le Comité populaire
de Diffusion de la Science avait porté à la connaissance
de tous ses travaux sur les atomes. Le boutiquier,
l'ouvrier, même les gens âgés, qui n'avaient pas une
forte instruction, savaient confusément que les atomes
étaient des sortes de bolides minuscules, mus à
l'électricité, qui se déplaçaient à une vitesse formidable, et que la chair de l'homme comme le bois de la
table, comme l'air, comme la pierre du mur étaient
bourrés de ces atomes. Devant la brusque mort de
l'électricité, les gens se demandaient si leurs atomes
avaient également disparu, et s'ils pourraient longtemps vivre sans eux.

La foule se serra autour de la voiture à bras. Elle se
sentait rassurée par la présence de cet homme qui
connaissait les secrets de la nature. Chacun avait
l'impression de se trouver près de la Science elle-
même, la Science qui explique tout et peut tout.

Un monsieur maigre s'empara d'un seau en fer que
portait une ménagère, le posa à terre, renversé,
grimpa dessus, et, d'une voix de coq enroué, parla :

— Messieurs, mesdames, citoyens...

— Hou... hou..., répondit la foule.

— Je ne veux pas vous faire de discours, je me
propose seulement de demander en votre nom à
l'éminent savant qui se trouve en ce moment parmi
nous de nous donner des éclaircissements sur le
phénomène qui vient de bouleverser notre vie. Je...

— Vive Portin ! La parole à Portin. Portin ! Portin ! Portin !

Le savant tremblait d'émotion dans son fauteuil et faisait avec la main des gestes de dénégation. Alors un gigantesque ouvrier fendit les groupes et parvint jusqu'à la charrette. C'était un métallurgiste, un ancien du métier, à la peau recuite, un vieux compagnon qui avait résisté à trente ans d'usine. Sa main droite, avec laquelle, à l'atelier, il donnait toutes les deux secondes le même coup de marteau sur des rivets toujours pareils, restait fermée autour d'un manche imaginaire.

— Écoutez, m'sieur Portin, nous, on est là, on sait pas, et on veut savoir. Vous, vous savez, la Science... Il faut nous dire. Qu'est-ce qui se passe ? Quand est-ce que ça va finir ?

Le vieillard, péniblement, se leva de son fauteuil. Il tremblait.

— Mes bons amis... dit-il.

Sa voix aigrelette ne portait pas à plus de dix mètres.

— Mes bons amis, je ne peux rien vous dire, je ne sais rien. On n'a jamais vu ça. Notre science est une science expérimentale. Or, le phénomène qui vient de se produire ne correspond à rien de ce que nous savons. C'est en violant toutes les lois de la Nature et de la logique que l'électricité a disparu. Et, l'électricité morte, il est encore plus invraisemblable que nous soyons vivants. Tout cela est fou. C'est un cauchemar antiscientifique, antirationnel. Toutes nos théories, toutes nos lois sont renversées. Voir cela au terme de ma vie de savant...

Il se laissa retomber lourdement dans son fauteuil. Les premiers rangs de la foule virent de grosses larmes couler de ses yeux dans sa moustache blanche. Mais les gens qui se trouvaient plus loin, inquiets, curieux, voulurent aussi entendre. Les grands se haussaient sur la pointe des pieds, les petits se cramponnaient aux grands. Des gamins grimpaient aux fûts des lampadaires. On se passait de rang à rang des fragments de phrase :

— Il a dit que l'électricité était morte.

— Ma pauvre, il a dit qu'il y comprenait rien.

— Il a dit que c'était la guerre.

— Il a dit qu'il allait tout arranger.

La multitude voulut en savoir davantage. De partout à la fois elle poussa vers le centre. Dix mille poitrines firent pression. La foule ne fut plus qu'une masse compacte, un seul muscle contracté. Il y eut des remous, des tourbillons, des vêtements arrachés, des côtes fracturées, des caleçons souillés. La voiture de M. Paul Portin fit trois tours sur elle-même, craqua et disparut. Le vieux savant se trouva projeté en l'air et retomba sur des épaules. Il y flotta quelques instants, puis sombra.

Quelqu'un, d'une fenêtre, cria une phrase courte. Répétée de bouche à bouche, murmurée, hurlée, elle dissocia la foule comme un acide. Par toutes les rues, hommes et femmes s'en furent en courant, pressés par la crainte de ne pas arriver chez eux à temps. Il ne resta sur la place que deux femmes allongées, immobiles, aplaties, et M. Paul Portin, posé sur le sol en un petit tas, le menton dans le dos et la barbe rouge.

Un gamin traversa la grande place vide. Il poursuivait à coups de pied un caillou rond et répétait sur un air joyeux les mots qu'il venait d'entendre crier : « L'eau va manquer, l'eau va manquer... »

François s'était promis de monter lentement les innombrables marches de l'escalier, pour éviter l'essoufflement. Aux paliers, des portes en plastec laiteux massif s'ouvraient sur les couloirs. Ceux-ci, larges comme des avenues, desservaient les appartements et se terminaient par un mur de verre. Si longs qu'ils fussent, ils amenaient cependant assez de clarté du jour à l'escalier pour qu'on s'y pût conduire. Et sur chaque porte se détachaient en noir les numéros de l'étage et des couloirs.

Des épaves jonchaient les marches, pièces de vêtements dans lesquelles François se prenait les pieds, valises abandonnées, chapeaux. Des hommes, des femmes descendaient abrutis par la succession interminable des marches, sans voir, sans penser, automatiques, tirés vers le bas par leur propre poids et celui de leurs paquets. François, violemment heurté par des gens qui ne cherchaient pas à s'excuser, ne semblaient même pas s'être aperçus de la rencontre, faillit tomber plusieurs fois. Il prit le parti de marcher le long du mur, du côté extérieur de l'escalier, et de s'arrêter chaque fois qu'il devinait, dans la pénombre, au-dessus de lui, une ombre plus dense. Il trouva une canne, la ramassa et la tint horizontalement, la pointe en avant, la crosse serrée sous son aisselle.

Quelques hommes furent arrêtés par cet épieu à cinquante centimètres de sa poitrine. Le choc leur coupait le souffle. Puis ils se laissaient de nouveau entraîner par la pesanteur, genoux flageolants et tête vide. Une femme qui descendait en courant fut presque embrochée. François la reçut évanouie ou morte dans les bras. Elle était chaude et molle comme un lapin qu'on vient d'assommer. Elle sentait la sueur propre, et le chypre. Il la posa sur une marche et reprit sa montée.

Il allait moins vite qu'il ne l'avait escompté. Il montait depuis vingt minutes, et ne se trouvait encore qu'au vingt-cinquième étage.

Blanche endormie, Seita, après avoir tourné avec nervosité dans la pièce, avait fini par s'allonger à même le tapis. Quand il s'éveilla, son premier soin fut d'aller au téléphone. Muet. Il appuya sur le bouton qui le mettait en communication avec son valet de chambre et n'obtint aucune réponse. Pas plus de résultat sur la ligne de son secrétaire. L'ascenseur privé demeurait bloqué. Le plafond lumineux restait sombre. L'étrange panne se prolongeait.

Blanche s'éveillait. Elle s'assit sur le bord du divan. Elle était charmante, les cheveux embroussaillés, les yeux un peu battus, la bouche boudeuse.

— J'espère que vous êtes reposée, ma chérie, dit Seita. Je ne sais ce que sont devenus les domestiques. Je vais vous préparer moi-même un bain.

Il disparut par une porte, mais revint bientôt, décontenancé.

— Il n'y a plus d'eau, dit-il. A la hauteur où nous sommes, elle était élevée par des pompes électriques. Elles doivent être arrêtées comme tout le reste. D'ailleurs, toute la ville va en manquer, car les stations de pompage et d'épuration qui alimentent Paris sont entièrement équipées à l'électricité.

Il s'arrêta un instant et conclut :

— Écoutez, il faut absolument partir, le plus tôt possible. Nous prendrons tout à l'heure un de mes avions et nous gagnerons ma propriété de Touraine. Nous attendrons là-bas que le gouvernement ait rétabli l'ordre. Je ne sais pas encore si nous avons affaire à des sabotages, à des grèves, à des actes de guerre ou à des accidents. De toute façon, le mieux, pour nous, est de nous éloigner jusqu'à ce que tout soit redevenu normal.

Il conduisit Blanche à la salle de bains. Elle se frotta vigoureusement à l'eau de Cologne. La morsure de l'alcool chassa les dernières brumes de sommeil. Son découragement de la veille avait disparu. Quelques heures de repos avaient suffi pour lui rendre un optimisme naturel à son âge. Depuis quelques semaines, elle était gâtée par le destin. Sa réussite au concours de Radio-300, ses fiançailles, la formidable préparation publicitaire de son premier passage à la télévision, son lancement raté, ces étranges aventures dans la Ville Radieuse brusquement paralysée, cette succession d'événements n'avait vraiment rien de médiocre. Elle éprouvait l'impression d'assister en spectatrice au déroulement d'un film extraordinaire dont elle se trouvait en même temps la vedette. Et c'était double plaisir. Qu'allait-il lui advenir maintenant ? Elle verrait bien. Sans doute rien de banal. Elle commença de se peigner tout en fredonnant la romance qu'elle eût dû chanter la veille, devant le micro. Comme elle reposait le peigne, il lui sembla que le miroir se voilait et que son image, en face d'elle, lui devenait étrangère et la considérait avec curiosité.

Un bourdonnement lui emplit les oreilles, la salle de
bains se mit à tourner lentement, puis bascula.
Blanche s'accrocha des deux mains au bord de la
baignoire, ferma les yeux avec force, et les rouvrit.
Tout était redevenu normal. C'était un simple étourdissement. Elle le mit sur le compte de la fatigue, noua
ses cheveux et sortit.

Seita s'en fut fouiller dans sa garde-robe, à la
recherche de linge et de vêtements de rechange. Mais,
sans l'aide de son valet de chambre, il ne savait où
trouver ce qu'il cherchait. Sa garde-robe, presque
aussi grande que sa chambre, contenait, pendus, en
rang, des costumes de toutes les couleurs et de tous
les tissus imaginables. Costumes d'été légers comme
de la cendre de papier, costumes d'hiver à fibres
thermiques, dont la température s'élevait à mesure
que le froid augmentait, et même, anachroniques
fantaisies de snob richissime, quelques lourds et
incommodes costumes de laine naturelle.

Seita tempêtait, égaré dans sa propre abondance. Il
prit une colère contre les manches et les jambes qui lui
battaient au visage, faillit périr étouffé sous une
avalanche que provoquèrent ses gestes énervés, finit
par trouver deux combinaisons de sport à fermeture
Éclair, donna la jaune à Blanche et garda l'orangée.

Pendant que la jeune fille s'habillait dans la chambre, il en fit autant dans la salle de bains d'où il revint
violemment parfumé. Ses rasoirs électriques immobilisés, il avait dû conserver sa barbe de la veille, qui lui
creusait les joues, et donnait à son teint foncé des
reflets verdâtres.

— Maintenant, dit-il, si vous le voulez bien, nous
allons partir. Nous déjeunerons en arrivant...

Ils gagnèrent, par l'escalier privé, le garage,

construit sur le toit de l'immeuble, qui abritait les douze avions de Seita.

Les outils, les machines, les réservoirs de quintessence avaient été projetés un peu partout, pêle-mêle, et les avions catapultés les uns dans les autres. La plupart d'entre eux étaient visiblement hors d'usage. Le petit appareil bleu qui avait emmené les jeunes gens en Écosse paraissait intact.

Jérôme, suivi de Blanche, se dirigea vers la machine volante. Comme il en ouvrait la porte, un grognement en sortit. Gaston fourrageait dans le moteur.

A la vue de son patron, il se redressa et dit d'un ton furieux :

— J'essaie depuis une heure de comprendre ce qui se passe, sans y parvenir. Pas une goutte de jus nulle part, pas plus dans ce moulin que dans les autres...

— Qu'est-ce qu'il y a donc, Gaston ? demanda Seita inquiet. Le moteur ne fonctionne pas ?

Le pilote regarda son patron avec étonnement :

— Vous ne savez pas ce qui est arrivé ? Tous les moteurs d'avions se sont arrêtés hier à la même heure, juste au moment où le courant flanchait partout. Tous ceux qui s'étaient mis en descente pour atterrir sur la terrasse sont tombés comme une grêle. Vous n'avez rien entendu, là-dessous ? Moi, dans mon petit appartement près du garage, c'est bien un miracle si je n'ai pas été aplati. Quand le bus de la ligne 2 est tombé, j'ai sauté au plafond comme une crêpe... Allez donc jeter un coup d'œil dehors, vous verrez le beau travail ! Heureusement que les architectes avaient prévu ce genre d'accident, et que la terrasse et l'immeuble sont bâtis à l'épreuve des chocs de cet ordre, sans quoi, les bus seraient bien descendus, à travers les plafonds, jusqu'au rez-de-chaussée !

« Mais pourquoi tous ces moteurs se sont arrêtés, pourquoi celui-ci ne veut pas démarrer, c'est ce que j'essaie de deviner... »

Seita comprit l'origine des chocs qui avaient secoué la Ville Radieuse et perdit en même temps tout espoir de partir par la voie des airs. Il essaya pourtant de lutter contre l'évidence. Il n'était plus seul. Il se trouvait de nouveau en rapport avec un de ses subordonnés. Il pouvait de nouveau commander. La présence de Gaston le libérait en partie de cet affreux sentiment de solitude impuissante qui l'étreignait depuis son réveil.

Il se redressa, caressa de deux doigts le bout râpeux de son menton, et retrouva sa voix assurée pour ordonner :

— Pendant que nous allons voir ce qui s'est passé dehors, révisez donc votre moteur une fois de plus. Il est neuf. Il ne lui est arrivé aucun accident. Il est inadmissible, si vous connaissez votre métier, que vous ne parveniez pas à le faire marcher.

— Il faudra bien que je voie ce qu'il a dans le ventre, promit Gaston.

Jérôme et Blanche gagnèrent la porte du garage.

Un soleil énorme montait à l'horizon, juste en face d'eux, et versait une lumière rouge sur la terrasse ravagée.

Une trentaine d'avions de toutes dimensions, et trois bus, s'étaient écrasés sur la terrasse, avaient éclaté comme des grenades. Le choc avait projeté en tous sens leurs débris et les restes broyés de leurs occupants. Leur plastec, moins épais que celui des wagons suspendus, n'avait pas résisté. Les quelques bâtiments en superstructure qui se dressaient sur l'immense surface plane n'avaient presque pas souf-

fert. Seule, la gare d'aérobus était entièrement broyée.
A la place de la vaste bâtisse, les jeunes gens ne virent
plus qu'un amas de décombres, ciment, fer et
fragments de plastec mêlés et teints en couleur
d'incendie par l'étrange lumière du soleil.

Quelques centaines de personnes cherchaient en
vain des survivants au milieu des débris.

Les jeunes gens, bouleversés, revinrent vers Gaston. Celui-ci avait renoncé à faire partir le moteur.

Ce que Seita venait de voir sur la terrasse l'avait
enfin convaincu de la gravité de la situation. Il venait
de comprendre qu'il ne fallait plus compter sur les
machines.

Mais alors, qu'allait-il devenir ? Si cet état de choses
se prolongeait, toute la civilisation allait s'écrouler.
Pour Seita, c'était plus que la fin d'une ère, c'était
vraiment la fin du monde, de son monde. Il se sentait
comme un voyageur abandonné nu au milieu du
désert. Qu'allait-il devenir, lui qui ne se déplaçait
jamais que par le secours des moteurs, qui parcourait
volontiers quelques milliers de kilomètres dans sa
journée, mais à qui cinq cents mètres paraissaient une
distance terrifiante s'il s'agissait de la couvrir à pied ?
Il n'avait jamais rien fait de ses mains. Il avait toujours
eu, pour répondre à ses besoins, une armée de
subordonnés et d'appareils perfectionnés. Leur service impeccable lui paraissait aussi naturel que le bon
fonctionnement des organes de son corps. D'un seul
coup, tout cela, autour de lui, disparaissait, l'amputait
de mille membres, et le laissait seul avec lui-même
pour tout serviteur.

Blanche s'accrocha à l'épaule de Jérôme. Elle
sentait ses jambes flageoler.

Il la fit asseoir sur un banc, lui tapota les mains :

— Eh bien, mon petit, qu'est-ce qu'il y a ?

— Je ne sais pas, j'ai la tête qui tourne un peu. Ce ne sera rien...

Gaston s'en fut chercher chez lui une bouteille de rhum et en versa un verre à la jeune fille qui but, s'étrangla, devint écarlate.

— Merci, ça va mieux maintenant...

— Alors, intervint Seita, nous allons pouvoir commencer à descendre.

— Je crains de ne pouvoir aller bien loin, soupira-t-elle. Il me semble que tout est instable autour de moi, et que la Ville Radieuse va chavirer dès que je me lèverai. Peut-être, si je pouvais manger un peu, cela passerait. Je n'avais pas dîné hier soir afin d'être plus à l'aise pour chanter. Je suppose que c'est la raison de ma faiblesse.

Seita la prit par la taille, et la conduisit de nouveau dans son appartement. Blanche s'allongea sur le divan. Ses tempes battaient, ses oreilles grondaient comme des rames de métro.

Seita apporta ce qu'il avait trouvé à la cuisine : une branche de cerisier garnie de ses fruits sans noyaux, et une pêche grosse comme un melon. Pendant que Blanche mangeait quelques cerises, il retourna fouiller à la cuisine, revint avec un énorme couteau pointu pour découper la pêche, et s'y prit si mal que le couteau glissa et lui entailla la paume de la main gauche.

A la vue du sang qui coulait, mêlé au jus du fruit, Blanche poussa un cri, porta sa main à ses yeux qui se brouillaient et perdit connaissance.

Seita jura, jeta la pêche à l'autre bout de la pièce, enveloppa sa main dans un mouchoir et vint se

pencher sur la jeune fille. De grands cernes bleus
soulignaient ses yeux fermés.

Il lui frotta les tempes à l'eau de Cologne. Elle ne
bougeait pas. Énervé, il lui gifla les mains, puis les
joues. Elle soupira, rouvrit les yeux.

— Comment vous sentez-vous, Régina ? Où avez-
vous mal ?

Elle essaya de sourire, dit d'une voix faible :

— Je ne sais pas, il me semble que j'ai reçu mille
coups sur la tête et dans le ventre.

Il lui tâta le pouls. Il battait rapide et irrégulier,
dénonçait la fièvre.

Derrière les murs de verre, la chaleur apportée par
le soleil s'accumulait. Impossible d'aérer. L'architecte
avait tout prévu pour supprimer le moindre contact
entre l'atmosphère extérieure et celle que les habitants
conditionnaient à leur désir à l'intérieur des Villes
Hautes.

Seita essuya son front où la sueur perlait. Blanche,
les yeux clos, commençait à gémir doucement.

Il allait d'une pièce à l'autre, à la recherche d'un
tube de comprimés calmants qu'il ne trouva pas. Il
serrait dans sa main gauche son mouchoir rouge de
sang. Il transpirait. Il s'approcha du lit de Blanche et,
de nouveau, lui prit le pouls. Sa fièvre semblait avoir
augmenté. Des milliers de fines gouttes de sueur
emperlaient son front et tout son visage.

— Régina ! appela Seita. Régina, répondez-moi !

Elle ne bougeait pas.

Il laissa déborder son irritation, s'en prit à tous ces
instruments familiers qui, depuis la veille au soir, se
moquaient de lui et refusaient leur service. Il frappa à
coups de pied le téléphone muet, les boutons qui
n'appelaient plus personne, alla, dans sa colère contre

le monde inerte, jusqu'à planter son couteau de cuisine dans l'écran de son poste de chevet.

La chaleur augmentait. Jamais, semblait-il, le soleil ne s'était montré si ardent. Seita, sa crise de nerfs calmée, s'approcha du divan une fois de plus. La sueur coulait le long du visage de Blanche. Son nez s'était pincé, sa respiration sifflait, mais elle avait cessé de gémir.

— Écoutez, Régina, je vais aller chercher un médecin. Il y en a dans l'immeuble. Ne vous inquiétez pas, reposez-vous, je vais revenir.

Comme elle ne semblait pas l'avoir entendu, il répéta ces quelques mots sur une feuille de papier qu'il mit entre les doigts de la malade pour qu'elle ne se crût pas abandonnée si elle reprenait connaissance.

Il savait que le professeur Leroy, le grand savant, inventeur de la pilule polyvalente que tout citoyen absorbait régulièrement une fois par mois pour prévenir une quantité de maladies, habitait au cinquante-huitième étage de la Ville Radieuse. Il décida d'essayer de le joindre.

Il ne se souvenait pas d'avoir, de sa vie, monté plus d'un étage à pied. Pourrait-il en monter quarante ? Il fallait bien qu'il essayât...

Après s'être permis plusieurs pauses, François parvint au soixante-cinquième étage, en une heure un quart, et s'assit de nouveau quelques minutes sur une marche.

Comme il se relevait pour reprendre sa montée, un homme broncha trois marches plus haut et lui chut dans le ventre, la tête la première. Ils roulèrent tous deux jusqu'au palier. François pesta. Il avait perdu sa canne. Il frotta une allumette, mais la lâcha soudain pour attraper une jambe de l'homme qui l'avait fait tomber et qui s'apprêtait, après s'être relevé, à continuer sa route. A la flamme de l'allumette, il avait reconnu Jérôme Seita.

A l'occasion du lancement de Régina Vox, les journaux avaient publié de nombreuses photos du jeune directeur de Radio-300 et François les avait examinées avec une curiosité mélangée de rancune. Chaque détail de ce visage mince s'était gravé pour toujours dans sa mémoire de peintre. Il venait de le reconnaître sous ses cheveux en désordre, derrière le sang dont il s'était barbouillé. D'une voix pleine d'angoisse, il lui demanda :

— Où est Blanche ?

Ils se tenaient maintenant debout tous les deux dans la pénombre, et François avait posé ses larges mains sur les épaules de Seita.

— Écoutez, je suis François Deschamps, son ami d'enfance. J'ai pensé qu'elle aurait besoin de moi. Je suis venu la chercher. Mais où est-elle ? Qu'en avez-vous fait ?... Allez-vous répondre ?

Seita, secoué, reprit ses esprits.

— Ah ! vous êtes M. Deschamps. Oui, elle m'a parlé de vous...

Il recouvrait sa voix mondaine :

— Elle est légèrement fatiguée. Je descendais justement, quelques étages plus bas, chercher un docteur...

François parvint à lui tirer quelques détails, et se mit à grogner comme un dogue :

— Vous vous imaginez que votre médecin, s'il est encore là, acceptera, dans les circonstances actuelles, de monter plus de trente étages pour aller soigner une inconnue ? Vous savez bien que non. Mais ce n'est qu'un prétexte. Elle est malade, elle ne peut pas marcher, alors vous la laissez seule, hein, vous fichez le camp ? Eh bien, vous allez remonter avec moi, et s'il lui est arrivé malheur, gare à votre peau !

Il prit Seita par le col, le poussa devant lui. La colère et l'inquiétude multipliaient ses forces. En moins d'une demi-heure, ils furent au but, et François projeta, d'une dernière poussée, Seita titubant dans son appartement.

Ils faillirent reculer, suffoqués par la chaleur. Blanche n'avait pas bougé. Elle ruisselait. La transpiration avait transpercé ses vêtements. Elle respirait rapidement, les yeux clos. Son pouls battait très vite.

— Allez me chercher des serviettes, commanda François.

Il essuya doucement le front de son amie, lui parla :

— Blanche, ma Blanchette, c'est moi qui suis là, ton grand François. Je suis venu te chercher. Je vais t'emmener chez toi, près de ta mère. Ne t'inquiète pas, tout va bien.

Elle ne manifesta par aucun signe qu'elle l'eût entendu.

Le premier soin de François fut de tirer les rideaux de velours pour masquer l'éblouissement du soleil. Seita s'était effondré sur une chaise.

Deschamps se mit à marcher de long en large dans la pièce, les mains dans les poches, la tête baissée, le front soucieux. Il se demandait comment descendre la jeune fille. Dans ses bras, sur son dos ? Après l'effort qu'il venait de fournir, il craignait d'être obligé de faire de trop fréquents arrêts pour se reposer. Or, il fallait, de toute urgence, l'emmener en un lieu où elle pût être soignée. Seita le vit soudain se pencher, mesurer, avec un morceau de ficelle tiré de sa poche, l'écartement des pieds d'un fauteuil, sortir, et revenir presque aussitôt.

— Tout va bien. La largeur de la rampe correspond à l'écartement des pieds du fauteuil. Nous allons asseoir Blanche dans le fauteuil et nous ferons glisser ce dernier à cheval sur la rampe. Avez-vous des cordes, dans votre appartement ?

— Je ne crois pas, je...

— Tant pis, nous nous en passerons. Trouvez-moi seulement des ciseaux.

Seita se leva péniblement et revint avec ce que François lui demandait. Celui-ci coupa en lanières les draps et les couvertures du lit. Il attacha Blanche au

fauteuil et fixa à chacun des bras de ce dernier deux
cordes faites de lanières de drap tressées. Il attacha
ensemble les deux plus courtes.

— Je me les passerai autour des reins, dit-il à Seita.
Vous, vous en ferez autant avec les plus longues. Vous
marcherez donc derrière moi. Je retiendrai à moi tout
seul le fauteuil. Vous ne serez là que pour me doubler
en cas d'accident. Si je perds pied, il faudra que vous
reteniez Blanche, et l'empêchiez d'aller se fracasser en
bas. Vous en sentez-vous capable ?

Seita frissonna, mais fit un gros effort sur lui-même
et répondit :

— Vous pouvez compter sur moi.

Le fauteuil fut installé à califourchon sur la rampe,
le dossier vers le bas, et la descente commença.
François, la corde aux reins, posait avec précaution
son pied sur chaque marche pour éviter de trébucher
sur une des épaves abandonnées dans sa fuite par la
population de la Ville Radieuse. Il profitait du fait
qu'à chaque palier la rampe devenait horizontale pour
s'arrêter une seconde et vérifier de la main les nœuds.
Puis la lente plongée recommençait.

Seita, tout son amour-propre et sa volonté bandés,
s'efforçait de résister à l'étourdissement. De son corps
qu'il n'avait jamais senti si présent, il éprouvait
maintenant le poids de chair et de sang. A chaque choc
du talon sur les marches, ses muscles semblaient
vouloir s'arracher de ses os, ses viscères donnaient des
coups de bélier contre ses côtes et contre la peau de
son ventre, ses genoux cherchaient à plier, à céder
sous ce poids qui les écrasait, toute sa chair demandait
à échapper au contrôle de son esprit, pour obéir enfin,
librement, à la force qui la sollicitait.

Il lui semblait que s'il s'abandonnait, le temps d'un

éclair, son corps allait se défaire en une multitude de billes joyeuses qui allaient se mettre à rouler, bondir, interminablement, cascadantes, jusqu'au centre de la terre.

François ignorait ce qui se passait à côté de lui. Ses yeux, et toute son attention, restaient fixés sur le siège où reposait la malade. Il apercevait des silhouettes confuses, il entendait des plaintes, des appels, et surtout le soufflet multiple des respirations. Mais il continuait sans s'émouvoir à faire son office de guide et de frein. La corde l'empoignait aux reins et le tirait vers le bas. Il pesait en arrière de tout son poids.

Soudain, il posa le pied sur un objet cylindrique, un flacon sans doute, qui roula sous son pied. Il trébucha et manqua deux marches. Par miracle, il se retrouva debout, mais Seita, qui avait subi le choc de sa corde brusquement tendue, ne put y résister et tomba dans les jambes de François qui, cette fois, chut à son tour. Pendant que les deux hommes roulaient le long des marches, le fauteuil se mit à glisser sans frein. François avait essayé, sans y parvenir, de rattraper les cordes qui lui avaient glissé sous les jambes. Pendant que son corps faisait les gestes nécessaires pour recouvrer l'équilibre, son esprit, éperdu d'horreur, suivait le fauteuil dans sa course et guettait le bruit de sa chute.

Le bruit qu'il entendit lui rendit l'espoir. C'était un choc proche, un cri d'homme et des jurons. Il franchit d'un bond les quelques marches qui le séparaient du palier suivant. Le fauteuil, au virage, avait jailli vers l'extérieur, assommé à moitié deux hommes et chu sur le côté. Blanche, attachée serré, n'avait pas bougé du milieu du siège. François redressa le fauteuil, et, fou de joie après avoir connu la pire angoisse, embrassa

Blanche toujours évanouie, la détacha et la pressa dans ses bras.

Puis il remonta chercher Seita. Il le trouva assis, les coudes sur les genoux, le visage dans les mains. Il geignait :

— Je suis brisé, je n'en puis plus. Je n'ai pas pu retenir la pauvre Régina. Je n'aurais pas dû accepter de vous aider. Je ne suis pas fort. Je n'ai pas l'habitude...

Il gémissait entre chaque phrase. Il semblait avoir perdu la tête. François le fit se lever :

— Consolez-vous, Blanche est sauve. Mais j'ai eu trop peur. Je ne veux pas continuer à descendre ainsi. Je vais la porter. Vous allez m'aider à me l'attacher sur le dos...

Il installa la jeune fille sans connaissance à califourchon sur son large dos et parvint à l'arrimer solidement.

— Maintenant, dit-il, marchez devant moi. Je ne veux pas rouler de nouveau sur quelque saleté. Passez devant et faites place nette.

A pas lourds, il reprit la descente. La tête de Blanche reposait sur son épaule. Leurs transpirations se mêlèrent.

De ses genoux, il poussait devant lui Seita chancelant. Ils arrivèrent enfin à l'étage des voitures.

— Nous allons descendre encore, dit François, jusqu'aux jardins. Le chef jardinier possède une voiture à cheval dans laquelle il promène habituellement les enfants. Il faudra bien qu'il nous la loue...

Ils détachèrent Blanche. François la prit dans ses bras et descendit ainsi le dernier étage.

Ils débouchèrent dans les jardins que les constructeurs de la Ville Radieuse avaient dessinés entre les allées réservées aux piétons, au-dessous même du gratte-ciel, entre les pilotis.

Dans cette ombre perpétuelle, le gazon prenait une teinte nouvelle, intermédiaire entre le vert et le jaune, et les jardiniers cultivaient des fleurs énormes, presque sans tige, aux couleurs pâles. Le jardin se continuait plus loin, tout autour du vaste immeuble.

Sur un petit lac artificiel, glissaient des cygnes rouges, des cygnes bleus et des cygnes noirs à pois blancs. Des cygnes blancs à trois ou cinq têtes déployaient avec une grâce multipliée leur bouquet de cous. Leurs reflets se promenaient, dans l'eau limpide, parmi les poissons-roues, les poissons-écharpes, les poissons mille-queues, les poissons échassiers, les ballets d'anguilles arc-en-ciel, et les parterres éclatants de méduses d'eau douce. Tous ces animaux, créés pour le plaisir de l'œil, provenaient des Laboratoires d'Animaux d'Agrément. Des biologistes provoquaient la naissance de ces monstres admirables par l'intervention chimique et physique au cœur même de l'œuf.

Au bord du lac s'élevait, comme un champignon, la maison du chef jardinier, bâtie sur un pédoncule.

Ce style architectural répondait au double souci de laisser le sol à la disposition de la circulation, et de hisser les pièces d'habitation vers la lumière. La maison pouvait pivoter sur sa tige, et présenter au soleil telle ou telle face, selon le désir de ses habitants. Le pédoncule renfermait l'ascenseur, l'escalier et le vide-ordures.

Une cité ouvrière de cent mille foyers avait été construite à l'ouest de Paris, selon ces principes.

Pour éviter la monotonie, l'architecte en chef avait laissé toute liberté à ses collaborateurs, en ce qui concernait le style du corps même des habitations. Si bien que sur cent mille piliers de ciment absolument semblables et alignés au cordeau, s'épanouissaient des maisons d'aspect infiniment varié, depuis le chalet suisse, le castellet Renaissance, le rendez-vous de chasse, la chaumière normande et la maisonnette banlieue 1930, jusqu'au cylindre de chrome, au cube de plastec, à la sphère de ciment et au tronc de cône d'acier. L'immeuble le mieux réussi et le plus perfectionné était celui qui abritait la mairie de la cité. Il avait la forme d'une galette, mais se développait chaque matin et prenait de la hauteur, comme un chapeau claque. Le soir, les employés partis, le concierge appuyait sur un bouton, les bureaux rentraient les uns dans les autres, les meubles s'aplatissaient, les plafonds venaient rejoindre les planchers, et l'immeuble se réduisait au dixième de sa hauteur.

Sur le sol, presque entièrement libéré par l'ascension des bâtiments, les urbanistes avaient disposé des

jardins, planté des arbres, et fait courir de multiples
petits cours d'eau peuplés de poissons avides. Les
ouvriers, au retour de l'usine, pouvaient se livrer au
délassement de la pêche à la ligne au-dessous même
des pieds de la table de leur salle à manger ou de leur
lit-divan. Ils prenaient, à voir gigoter au bout du fil les
ablettes ou les truites, un plaisir gratuit et d'essence
purement esthétique. Il n'était pas question, en effet,
de manger ces minuscules animaux pleins d'arêtes,
alors que diverses usines fabriquaient des filets de sole
plus gros que des baleines, ou, pour la friture, des
vermicelles de poissons au goût de vairons, absolument délectables et, bien entendu, sans épines.

A côté de la maison du chef jardinier, posé près
d'elle comme un crapaud près d'une cigogne, se
trouvait un bâtiment bas qui abritait l'écurie de son
cheval, et sa remise à voiture et outils.

Au moment où les jeunes gens arrivaient près de la
remise, la voiture en sortait, tirée par le magnifique
cheval pommelé blanc et noir bien connu des enfants.
Sur la voiture à deux roues, en bois verni, le jardinier
était assis, entouré de trois énormes malles. Incontestablement, il déménageait.

Seita se précipita devant le cheval. La vue de ce
véhicule, qui lui permettrait peut-être de fuir vers des
lieux plus hospitaliers, lui avait rendu un peu d'énergie. Le jardinier, un homme d'une cinquantaine
d'années, à grosse moustache grise, tira sur les guides,
arrêta sa bête, et demanda d'une voix rude :

— Qu'est-ce que vous voulez ?

— Monsieur, nous avons avec nous, comme vous le
voyez, une jeune fille malade. Ayez la gentillesse de la
conduire jusque chez mon ami, à Montparnasse, sur
votre voiture…

— J'ai pas le temps ! Vous savez donc pas ce qui se passe ? Que rien marche plus dans cette ville ! Moi je m'en vais. Allez, faites-moi place ! Débrouillez-vous.

Seita sourit. Il pensait à la toute-puissance qu'il portait sur lui, à laquelle rien ni personne n'avait jamais résisté. Il s'accrocha d'une main à la bride du cheval et, de l'autre, fouilla dans une de ses poches. Il en sortit une poignée de billets de banque.

— Tenez, reprit-il, je vous donne ça. Cinq mille francs pour un petit détour. C'est tout de même bien payé !

— Je me moque de votre argent !

— Je vous achète votre cheval. Le prix que vous voudrez ! Cinquante mille, cent mille, deux cents, cinq cents...

A chaque chiffre, le gardien faisait « non » de la tête. Seita, étonné de ce refus, s'obstinait, offrait toujours davantage. A la fin, l'homme n'y tint plus, et se leva furieux.

— Mon cheval vaut plus que tous vos billets. Allez, laissez-moi !

Comme Seita s'accrochait toujours, le gardien se pencha en avant et, à toute volée, le frappa à la tête du manche de son fouet.

Seita s'écroula. Le cheval et le véhicule lui passèrent sur le corps.

François posa Blanche sur l'herbe et se mit à courir. Il coupa court à travers les pelouses, rattrapa la voiture à un tournant, saisit aux naseaux le cheval qui galopait, se laissa traîner. Le jardinier s'était dressé dans sa voiture et faisait pleuvoir les coups de manche de fouet sur le garçon et sur l'animal. Celui-ci, affolé par cette grêle de coups, bondissait des quatre sabots, secouait la tête, essayait de se débarrasser de la poigne

de fer qui lui coupait la respiration. Mais il dut
s'arrêter, les poumons vides. François le lâcha, posa le
pied sur le moyeu d'une roue et, d'un bond, fut sur la
voiture. L'homme, fou de rage, essaya de le frapper
des deux poings au visage. François esquiva le coup,
empoigna son adversaire par le col et le fond de sa
culotte, le souleva à deux mains au-dessus de sa tête,
et le lança sur le sol. Comme il tentait de se relever, à
moitié étourdi, François lui sauta dessus, tomba les
deux pieds sur sa poitrine, lui souleva la tête par les
cheveux et, d'un coup de poing au menton, l'assomma.

Il jeta les malles près de l'homme inanimé, calma le
cheval qui tremblait sur ses pattes et ramena la voiture
vers le chalet.

Seita était toujours étendu en travers du chemin. Il
se pencha sur lui. Un sabot du cheval lui avait broyé le
cou. Il était mort. François le coucha sur l'herbe,
fouilla ses poches. Elles contenaient trois carnets de
chèques et une fortune en billets de cinq mille, dix
mille et cinquante mille francs. François replaça toute
cette paperasse dans les poches du mort. « Nous allons
avoir besoin désormais, dit-il à voix basse, de valeurs
plus solides. »

Comme il prenait Blanche dans ses bras pour la
coucher dans la voiture, un éclair brilla au doigt de la
jeune fille. Elle portait à l'annulaire une bague ornée
d'un énorme brillant. Il la retira doucement, admira la
pureté de la pierre, et l'envoya rouler dans l'herbe près
du corps de Seita. Il posa un baiser sur la main qu'il
venait de dépouiller, descendit de la voiture, empoigna la bride du cheval, et prit le chemin de Montparnasse.

La scène s'était déroulée devant de nombreux témoins, mais chacun se moquait de ce que pouvait faire son voisin ; les passants n'étaient occupés que de leur propre sort.

Le cheval, pourtant, risquait de susciter bien des convoitises. François enroula la lanière du fouet autour de sa main, et posa le manche lourd, ostensiblement, sur son épaule.

Au sortir de l'ombre du gratte-ciel, il fut saisi par la chaleur soudaine du soleil. Le ciel d'un bleu profond, devenait presque noir au ras de l'horizon. D'un geste machinal, François porta sa montre à son oreille, puis haussa les épaules, dégrafa le bracelet et le jeta. Il était décidé à se débarrasser de tous les objets devenus inutiles, de toutes les habitudes et de tous les scrupules que l'événement rendait caducs. Il jugea de l'heure comme pendant ses séjours à la ferme : à la hauteur du soleil. Il ne devait pas être plus de neuf heures. Il lui semblait pourtant s'être mis en route depuis une demi-journée.

Soucieux de ne pas trop attirer l'attention sur son véhicule, il prit par les rues les moins fréquentées.

Comme il passait sur une minuscule placette plantée
d'un tilleul, d'un réverbère et d'un urinoir, il vit un
vieux café à la devanture poussiéreuse. Il réveilla le
patron chauve qui, hors du monde, hors du temps,
sommeillait derrière son comptoir, et acheta une caisse
d'eau minérale qu'il jucha sur la voiture. Il arriva dans
cet équipage à la porte de son logis.

Une porte cochère ouvrait sur un couloir sombre.
Celui-ci débouchait dans une grande cour pavée, tout
autour de laquelle étaient disposés de petits bâtiments
crasseux, sans étage, à demi ruinés, qui avaient abrité
des ateliers d'artisans. Un de ces bâtiments portait sur
son dos une sorte de bosse vitrée, atelier de peintre
construit après coup par quelque propriétaire capri-
cieux, et auquel conduisait un escalier extérieur. C'est
là que logeait François. Il avait été émerveillé de
découvrir un coin si calme, et séduit entièrement par
un marronnier qui dressait au milieu de la cour son
dôme d'épaisse verdure toute frémissante de moineaux. Il s'y était installé, sans autre voisin que sa
concierge. Les ateliers désaffectés servaient pour la
plupart d'entrepôts à des marchands de meubles.

Sa concierge, Mme Vélin, logeait dans une pièce
unique, sans fenêtre, dont la porte vitrée s'ouvrait sur
le couloir.

Elle continuait à se vêtir de robes noires, à la mode
du siècle dernier, et coiffait son crâne chauve d'une
perruque rousse qui tantôt glissait vers la nuque, et lui
découvrait un front énorme, tantôt lui bouchait un
œil.

Lorsqu'elle vit arriver François dans cet équipage
inattendu, elle leva les bras au ciel.

— Eh bien, monsieur Deschamps, d'où c'est que
vous venez comme ça ? Et vous savez ce qui se passe ?

Mon Dieu, la pauvre demoiselle! Mais c'est Mlle
Blanche! Qu'est-ce qui lui est arrivé? Avec ça y a plus
d'électricité, plus d'eau, plus de lait. Vous y comprenez quelque chose, monsieur Deschamps, vous qui
êtes instruit? De mon temps, on aurait pas vu des
choses pareilles. C'est de l'anarchie! Et cet animal que
vous conduisez, c'est un cheval, dites? Oui, c'est bien
un cheval! J'en ai vu quand j'étais petite, et il y a
quelques années, on en a fait défiler aussi aux
Champs-Élysées, à la revue du 1er mai. Mais d'où vous
le sortez, celui-là? Et cette pauvre demoiselle qu'est-
ce qu'elle a donc la mignonne?

— Elle est malade, madame Vélin. On ne peut pas
la laisser seule chez elle. Je vais la coucher chez moi.

Il attacha le cheval à un barreau de fenêtre, prit
doucement dans ses bras la jeune fille, et monta chez
lui.

Il étendit Blanche sur son lit, redescendit, détela le
cheval et, au grand ahurissement de Mme Vélin,
s'engagea avec lui dans le couloir de l'immeuble. Elle
trottina derrière :

— Mais où allez-vous mettre cette pauvre bête,
monsieur Deschamps? Vous allez pourtant pas lui
faire monter votre escalier? Vous allez lui casser une
jambe! Et qu'est-ce que vous allez lui donner à
manger à ce pauvre chéri? Ça aime-t-y le lait? Je
pourrais lui faire une petite pâtée. Mon Dieu, mais
c'est vrai qu'y a plus de lait. Qu'est-ce que je vais
donner à mes pauvres minets?

Sans prendre la peine de répondre à la vieille
bavarde, François conduisit le cheval dans un des
bâtiments du rez-de-chaussée, une ancienne forge de
serrurier. Il lui donna une botte de foin qui se trouvait

sur la voiture. Elle lui suffirait bien pour trois ou
quatre jours.

Le cheval logé, il revint vers le véhicule, le démonta
au moyen de clés trouvées dans le coffre, et la voiture,
en pièces détachées, rejoignit le cheval. François
remonta auprès de Blanche, la frictionna, lui mit un
de ses pyjamas, dans lequel elle aurait tenu trois fois,
la coucha dans des draps propres et sortit à la
recherche d'un médecin.

Il trouva chez lui le docteur Fauque, un grand
Lyonnais brun, barbu et bavard qu'il connaissait pour
brave homme et bon praticien. Le docteur l'accompagna, hocha la tête à la vue de la malade et l'ausculta
longuement.

— Mon cher garçon, dit-il en se relevant, voilà le
douzième cas de ce genre pour lequel je suis appelé
depuis cette nuit. Ce que c'est, à vous le dire net, je
n'en sais rien.

Il enfonça une main dans sa barbe, s'assit familière-
ment sur le bord du lit.

— Et j'ai rencontré deux de mes confrères qui ont
vu à peu près autant de malades que moi atteints par
cet étrange mal. Je dis bien étrange, car il ne frappe ni
les hommes, ni les enfants, ni les femmes mariées,
mais seulement les jeunes filles ou les fillettes qui
viennent d'être pubères. En un mot, les pucelles...

— Vous êtes sûr de cela, docteur ?

— Sûr, vous savez, reprit le médecin d'une voix
hésitante, il est difficile de se montrer affirmatif dans
ce domaine délicat. Je vous dirai d'ailleurs bien
franchement qu'au retour, ce matin, de ma dixième
visite, alors que j'étais arrivé à la conclusion que je
viens de vous dire, je m'attendais à trouver ma fille
malade. Or, elle se porte parfaitement bien. D'où je

conclus, ou que ma théorie ne tient pas debout, ou que j'ai mal surveillé ma fille depuis que sa pauvre mère est morte... Mais, hélas! je crains, à bien réfléchir, que ce cas particulier ne fasse que corroborer mon hypothèse.

— Mais que faire, docteur, comment soigner ces malades?

Le docteur Fauque leva les bras au ciel:

— Que voulez-vous que je vous dise? Je n'en sais rien. Ce n'est certainement pas une affection d'origine microbienne. Mais plutôt un dérangement en rapport avec le phénomène électrique auquel nous assistons. Il faut croire que la virginité, à laquelle, depuis le début du monde, toutes les civilisations ont attaché tant d'importance, est autre chose qu'un simple sceau charnel, mais un état général particulier caractérisé sans doute par quelque mystérieux équilibre électrique qui vient d'être détruit d'une façon anormale, ce que toutes ces fillettes payent...

« Quand je dis fillettes... J'en ai vu une, tout à l'heure, qui a quarante ans et qui est mariée, oui, monsieur, mariée, à une sorte d'individu graisseux... La pauvre femme!

— Alors, vous pensez que cette maladie est due à la disparition de l'électricité?

— Mais l'électricité n'a pas disparu, mon jeune ami. Si elle avait disparu, nous n'existerions plus, nous serions retournés au néant, nous et l'univers. Nous, et cette table, et ce caillou, tout cela n'est que combinaisons merveilleuses de forces. La matière et l'énergie ne sont qu'un. Rien ne peut en disparaître, ou tout disparaîtra ensemble. Ce qui se passe, c'est un changement dans les manifestations du fluide électrique. Un changement qui nous bouleverse, qui démolit tout l'édifice de science que nous avions bâti, mais qui n'a sans doute ni plus ni moins d'importance pour l'univers que le battement de l'aile d'un papillon. Il est évident que certains corps, comme les métaux, qui possédaient la propriété, dans certaines conditions, de capter, de conduire, de garder prisonnier ce fluide, ont tout à coup perdu cette faculté. Caprice de la nature, avertissement de Dieu ? Nous vivons dans un univers que nous croyons immuable parce que nous l'avons toujours vu obéir aux mêmes lois, mais rien n'empêche que tout puisse se mettre brusquement à changer, que le sucre devienne amer, le plomb léger, et que la pierre s'envole au lieu de tomber quand la main la lâche. Nous ne sommes rien, mon jeune ami, nous ne savons rien...

Le docteur Fauque poussa un soupir, se leva.

— Quant à cette petite, nous allons la nourrir avec des piqûres, tant que durera ce sommeil. C'est tout ce que nous pouvons faire. Ne vous inquiétez pas. Tout cela reviendra peut-être normal un jour ou l'autre, fit-il avec cette bonne voix du médecin que les clients croient optimiste alors qu'il est indifférent.

Il gribouilla une ordonnance et s'en fut. Le jeune garçon courut à une pharmacie voisine chercher les ampoules prescrites. Un vent chaud commençait à souffler, et soulevait au ras de terre de petits tourbillons de poussière et de papiers.

Une vague rumeur emplissait les rues. Les gens s'interrogeaient de porte à porte, confrontaient leurs angoisses, leurs incertitudes. La plupart des magasins avaient gardé leur rideau de fer baissé.

François vint faire à Blanche une première piqûre et décida d'aller aux nouvelles.

Il descendit vers la gare Montparnasse après avoir

confié Blanche à Mme Vélin. Il passait à l'ombre des maisons. Au soleil, il voyait l'air monter en ondes transparentes du sol surchauffé. Le vent, qui venait du sud, semblait s'être roulé sur des immensités incandescentes. Il fouillait de ses mains de braise les moindres coins d'ombre, séchait, d'un revers, la sueur sur les fronts.

Sur la place de la gare, une foule éperdue tourbillonnait. Beaucoup de gens étaient venus dans l'espoir de prendre le train, pour gagner quelque autre ville qu'ils pensaient épargnée par le fléau. Mais sur les portes closes, une affiche tracée à la main annonçait que rien ne fonctionnait plus.

Des hommes traînaient leur famille entière, en habits du dimanche, la mère et tous les enfants encombrés de colis. Ils arrivaient à la gare, se heurtaient aux portes fermées, lisaient l'avis, et reprenaient, effarés, le chemin de leur domicile. Que faire, où aller, comment quitter la capitale où ils ne trouveraient bientôt plus de quoi manger, ni surtout de quoi boire ? Certains, découragés, s'asseyaient sur leurs valises, et mêlaient leurs larmes à la sueur qui coulait sur leur visage.

Des cris d'enfants, des pleurs, des jurons, des appels, et le morne bruit de mille pieds las raclant le sol, s'élevaient des lents remous de la foule.

A la porte de tous les cafés, des queues interminables s'allongeaient.

Tout à coup, précédés d'un bruit de galop, quatre gardes nationaux à cheval débouchèrent de la rue de Rennes. Vêtus de la cuirasse de guerre en tissu métallique antirayons, coiffés du casque à antennes, ils ressemblaient à ces simulacres d'insectes, en argent, que les femmes du xxe siècle accrochaient à leurs corsages. Mais leurs courtes antennes se dressaient désormais inutilement vers le ciel. Aucun ordre ne leur parvenait plus sur l'aile des ondes évanouies.

Ils s'arrêtèrent au milieu de la place, et furent immédiatement entourés par un peuple heureux de voir se manifester, d'une façon quelconque, l'autorité.

L'un d'eux emboucha une trompette et sonna. De toutes les rues, des gens accoururent. La place fut, en un instant, noire de monde.

D'une sacoche accrochée à sa selle, le même garde tira un papier qu'il déplia et lut au milieu du silence. Il parlait lentement, fortement. Il criait presque, et roulait les *r*. Chacun put l'entendre.

C'était un avis du gouvernement qui enjoignait à la population de tenir les robinets fermés et d'utiliser l'eau uniquement pour la boisson.

— C'est bien temps ! Maintenant qu'y en a plus !

— C'est toujours comme ça !

— Taisez-vous, qu'on écoute !

L'avis informait les Parisiens qu'ils pouvaient consommer l'eau de Seine à condition d'y ajouter quelques gouttes d'eau de Javel, et se terminait ainsi :

« Le gouvernement et le conseil municipal de Paris adjurent la population parisienne de garder son calme. Toutes les mesures vont être prises pour assurer son ravitaillement en vivres et en eau potable. Elles seront portées à la connaissance du public par proclamations aux carrefours. »

Cet avis fut suivi d'un autre. Plus bref, il annonçait que la loi martiale était proclamée, que le gouvernement militaire était chargé de faire régner l'ordre, et que tout acte de pillage serait puni de mort.

Le garde national replia ses papiers, les rangea dans sa sacoche, et, suivi de trois autres cavaliers, fendit la foule passive du poitrail de son cheval. Dès qu'ils furent dégagés, ils prirent le galop et disparurent dans la direction des Invalides.

Au même instant arrivait un peloton d'agents motorisés. Ils avaient abandonné leurs motos électriques désormais paralysées, pour de vieilles bicyclettes, sorties de quelque poussiéreuse réserve de la Préfecture de Police. Ils peinaient énormément à pousser sur les pédales.

Ils se répartirent par petits groupes devant les cafés et boutiques, entreprirent de les faire fermer, et de disperser les queues.

Mais la foule, si la chaleur lui faisait oublier qu'elle allait avoir faim, sentait par contre de plus en plus cruellement sa soif.

Les gens les plus proches des portes qu'on allait pour fermer au nez protestèrent violemment. Des bousculades suivirent. Les agents, frappés, ripostèrent. Certains, affolés, voulurent, malgré les instructions reçues, se servir de leurs mitraillettes. Elles leur éclatèrent aux doigts. Ils furent submergés, piétinés, assommés. La foule se jeta sur les bicyclettes. Arrachées, reprises, tirées de toutes parts, elles furent mises en pièces sans profit pour personne.

Les vitrines et les portes des cafés enfoncées, les hommes sautèrent par-dessus les tables, sur les comptoirs, se ruèrent sur les bouteilles multicolores, ils se les disputaient comme des loups se disputent un agneau, s'en cassaient deux sur la tête pour une troisième. Des robinets ouverts, les vins et les bières coulèrent dans des récipients aussitôt renversés par la bousculade.

Les premiers pillards qui descendirent dans les caves n'en purent pas remonter, périrent écrasés dans l'obscurité humide, parmi les tonneaux brisés, les éclats de bouteilles, sous le poids des nouveaux arrivants. Les semelles glissaient sur les liqueurs répandues. Les malheureux qui tombaient s'éventraient sur les tessons de bouteilles. Des pieds leur fouaillaient le ventre, s'accrochaient à leurs entrailles, leur enfonçaient dans la bouche leurs cris d'angoisse. De la mêlée noire montaient les odeurs mélangées du sang frais, de la vinasse et de la sanie.

Quelques favorisés du sort s'échappaient avec un litre dans chaque main. Ils les brandissaient comme des massues. Un homme parvint en courant près de François. Il tenait à deux mains une unique bouteille. Il s'arrêta, la regarda et jura. François vit sur l'étiquette : « Sirop... » L'homme la jeta loin de lui dans un geste de rage et repartit vers la bataille.

François en avait assez vu. La loi de la jungle allait devenir la loi de la Cité.

Une grande joie l'attendait à son retour. Blanche
avait repris connaissance. Encore très faible elle
tourna la tête vers lui et lui adressa un pâle sourire. Il
tomba à genoux près du divan et appliqua deux gros
baisers bruyants sur les joues de la jeune fille.

— Ma Blanchette, comme tu m'as fait peur !
Comment te sens-tu maintenant ?

— Bien lasse. Tout mon corps est douloureux.
Comme si j'avais été battue partout. Chaque muscle
me fait mal. Jusqu'au bout des doigts. Mais que m'est-
il arrivé ? Mme Vélin m'a expliqué que tu m'avais
amenée ici sur une voiture à cheval...

François raconta à Blanche les événements de la
matinée. Il passa sous silence la mort de Seita. Pour
éviter toute émotion à la malade, il lui déclara
seulement que ce dernier s'était perdu dans la foule.

Elle ne marqua aucune inquiétude à son sujet. Elle
se sentait encore trop faible pour se permettre un
quelconque souci. Elle s'abandonnait au sentiment de
sécurité que lui procurait la présence de François.
Seita, bien qu'elle lui fût fiancée, n'était pour elle
qu'un étranger, tandis que sur son grand François elle

savait pouvoir compter en toutes circonstances. Elle
pensa qu'il serait peut-être décent de dissimuler sa
bague de fiançailles. Elle voulut tourner le chaton à
l'intérieur, et s'aperçut que son doigt était nu. François, qui avait surpris son geste, sourit. Elle regarda,
rougit, devina que quelque chose avait dû se passer
que François ne lui avait pas dit, ouvrit la bouche pour
l'interroger, puis se tut. Elle était vraiment trop lasse.
Son ami se pencha vers elle, lui demanda doucement :

— As-tu faim ? Veux-tu boire ?

Elle fit « non » de la tête et soupira :

— Je crois que je vais dormir...

— Dors, ma Blanchette. Et si tu as besoin de quoi
que ce soit, demande-le.

François invita Mme Vélin à partager son repas.

Il mangea de bon appétit, pendant que Mme Vélin
grignotait à son côté. Blanche s'était endormie et
respirait calmement.

Malgré les rideaux tirés, la chaleur augmentait de
minute en minute. Mme Vélin était à bout de souffle.
Elle se hâta de déguerpir dès qu'elle eut avalé la
dernière bouchée. Le soleil brillait maintenant au
zénith et, à travers le toit de verre, surchauffait
l'atelier. Par les fenêtres ouvertes le vent brûlant
secouait les rideaux.

François s'en fut rendre visite à son cheval. Celui-ci
frappait le sol de coups de sabot violents.

— Tu as soif, mon pauvre vieux ? Comment faire ?
Je ne peux pourtant pas te donner de l'eau minérale...

Une idée lui vint. Il se mit à fouiller dans l'entassement d'objets qui rouillaient au fond de l'atelier, et
finit par y trouver un vieux seau troué. Il boucha le
trou avec un morceau de bois taillé enveloppé d'un
lambeau d'étoffe et s'en fut en direction du square le

plus voisin. Les gens avaient déserté les rues dont le
revêtement brûlait les pieds à travers les semelles.
Tous volets clos, frappés de torpeur, ils attendaient,
enfermés dans leurs appartements, le coucher du
soleil.

Arrivé au square, François s'aperçut que d'autres
avaient déjà eu la même idée que lui. Le bassin où les
enfants du quartier faisaient, d'habitude, voguer leurs
flottilles se trouvait presque à sec. Chacun était venu y
puiser. Il ne gardait plus, au fond, qu'une mince
couche d'eau nauséabonde, mêlée de vase, François
n'en emplit pas moins son récipient et s'en retourna
l'offrir à son cheval qu'il décida de baptiser
« Mignon ».

Mais la bête huma avec méfiance le contenu du
seau, renâcla, secoua la tête et ne voulut boire goutte.

François fouilla de nouveau au fond de l'atelier,
trouva trois grands fûts métalliques, les emplit du
liquide puant raclé au fond du bassin, et entreprit
ensuite de fabriquer un alambic. Il nettoya une petite
bonbonne dans laquelle il avait apporté de l'huile de
son pays, la débarrassa de sa robe d'osier, perça le
bouchon, y adapta un tuyau arraché à la canalisation
de lait.

L'eau, dans les fûts, s'était un peu décantée.
Mignon daigna boire.

Blanche s'était réveillée. Elle était rose et souriait.
Son pouls battait à un rythme normal. Elle ne semblait
avoir gardé de son malaise qu'une grande lassitude,
une courbature de tous les muscles. Elle mangea
légèrement. François jugea qu'elle était en état de
supporter la vérité, et lui raconta la mort de Seita.

— J'ai posé près de lui la bague qu'il t'avait offerte,
dit-il. C'était le premier versement sur ton prix

d'achat. Comme le marché se trouve rompu, il était
normal que l'acheteur fût remboursé...

Elle se redressa indignée :

— Mon prix d'achat ! Te voilà bien courageux,
d'insulter une malade et un mort !

Il sourit, prit le menton de Blanche entre ses deux
doigts, posa sur ses lèvres un baiser rapide :

— Mort ou vivant, ne me crois pas jaloux de ce
petit homme. Si les événements ne s'en étaient pas
mêlés, c'est moi qui aurais empêché votre mariage. Tu
es ma Blanchette à moi, n'imagine pas que j'aurais
laissé quiconque venir te prendre.

Elle haussa les épaules, se recoucha et lui tourna le
dos. Il décida de se reposer pour être dispos la nuit
suivante, étendit une couverture dans un coin de
l'atelier et s'y allongea.

Quand elle l'entendit dormir, Blanche se retourna
de son côté et lui sourit avec tendresse. Elle voyait la
sueur couler sur le front du grand garçon. Elle voulut
se lever pour aller l'éponger doucement et peut-être
lui rendre ce baiser si bref.

Mais ses jambes plièrent sous elle. Elle s'écroula
près du lit. François, réveillé en sursaut, la recoucha
et la gronda. Elle pleurait, déçue et vexée, et aussi un
peu effrayée de s'être vue si faible. Elle ne voulut
absolument pas dire pourquoi elle s'était levée. François, qui soupçonnait des raisons prosaïques, descendit, courut à la pharmacie, revint avec un gros paquet
qu'il défit dans la loge, et envoya près de Blanche
Mme Vélin munie d'un bassin.

Le vent soufflait maintenant en bourrasque, d'un souffle continu, sans reprendre haleine. Il arrachait et emportait les ardoises mal fixées, décollait des affiches, qui s'envolaient soudain plus haut que les maisons, redescendaient, remontaient, se dépliaient, se repliaient, comme d'énormes papillons. Dans des chantiers de construction, des échafaudages s'écroulèrent. Sur toutes les fenêtres au midi, l'épaule brûlante du vent pesait, faisait craquer le bois, gémir le fer.

Boulevard des Italiens, un garde national porteur d'un pli se hâtait. Il rasait les murs pour éviter le vent et le soleil. Il s'arrêta un court instant à l'abri d'une porte cochère. Il alluma une cigarette. Il était en service et en tenue « sous les armes ». Il n'aurait pas dû fumer. C'était contraire au règlement. Mais au milieu du bouleversement, une si petite entorse à la règle n'avait vraiment plus d'importance.

Devant lui, un ruban continu d'autos abandonnées barrait chaque piste du boulevard. Les voitures se touchaient. Par cinq ou six de front, d'un bout à l'autre de Paris, de l'est à l'ouest, de Versailles à

Vincennes, elles devaient se suivre ainsi, sans un
hiatus.

Le vent faisait claquer quelques portières restées
ouvertes, comme les portes d'une maison vide. Des
pillards, malgré la chaleur atroce, malgré la tornade,
se glissaient par-ci, par-là, entre les autos, secouaient
les portières, les ouvraient quand ils pouvaient, soulevaient les coussins, les tapis, à la recherche de quelque
objet précieux abandonné. De temps en temps, le
bruit d'une dispute s'élevait.

Le garde national avait presque terminé sa cigarette. Il décida de continuer sa route. Il lui fallait
traverser le boulevard torride. Il soupira et partit, se
faufila rapidement entre les voitures. Une puissante
odeur de carburant le prit à la gorge. Il toussa et jeta
son mégot.

Une flamme jaillit, dans un bruit de drap qui claque
au vent. Le garde tourna trois fois sur lui-même et
s'écroula en grésillant entre quatre autos qui flam-
baient. Ce fut la fin de sa mission. Le vent se mit à
jouer avec les flammes. Il les tordait, les couchait, les
arrachait comme des fleurs et les jetait en l'air. Les
réservoirs des voitures voisines éclatèrent en grandes
gerbes, semèrent le feu dansant à cinquante mètres à
la ronde. Vers l'est et vers l'ouest, la flamme courut
d'une auto à l'autre. La quintessence flambante coulait sur la chaussée. Des ruisseaux de feu tombaient
dans les égouts.

De rouges chevelures crépitantes se couchèrent
dans le vent, vinrent caresser les portes des boutiques
qui se tordirent, les vitrines qui sautèrent. Tout le côté
du boulevard prit feu, et le vent poussa la flamme vers
le nord. En même temps, elle se propageait de voiture
à voiture vers l'est et l'ouest. La place de la Concorde

ne fut bientôt plus qu'un brasier de mille autos. Toutes les flammes se joignaient en une seule flamme que le vent aplatissait brusquement sur les pâtés de maisons où elle restait accrochée.

Des flammes rugissantes s'engouffraient dans les couloirs, montaient d'un seul coup jusqu'aux combles, faisaient sauter les poutres, surgissaient, triomphantes, à travers les toitures, et bondissaient sur les toits voisins qui les recevaient en craquant.

Une multitude fuyait dans les rues, hurlait, fuyait vers le nord, fuyait devant l'enfer. Il n'y avait plus de respect, plus d'amour, plus de famille. Chacun courait pour sa peau. Les boutiquiers avaient laissé l'argent dans les tiroirs, les mères abandonnaient les bébés dans les berceaux. Tous ceux qui pouvaient courir couraient sous le vent qui apportait des fumées et des odeurs de rôti. Et des incendies s'allumaient partout. Les fuyards avaient beau courir, se crever le cœur et les poumons, ils voyaient tout à coup, au-dessus de leurs têtes, dans une tornade de fumée noire, passer une immense lueur rouge. Elle les attendait au carrefour. Ils cherchaient des voies détournées, se heurtaient partout au mur de feu, reculaient, cherchaient ailleurs, hurlaient à Dieu.

Des foules crurent trouver un abri dans les squares, sur les pelouses. Elles y furent cernées par le feu, cuites de loin, desséchées et fumées.

Toutes les cloches de la partie de Paris épargnée par l'incendie sonnaient le toscin. Mais il ne restait plus d'eau dans les conduites, et les pompes rotatives électriques, et les vieilles pompes montées sur voitures à essence n'étaient plus que des engins inutiles. Quant aux pompes à bras, il en restait un seul exemplaire, au musée des Arts et Métiers.

Alors, spontanément, une, dix, cent chaînes s'organisèrent de la Seine au feu. Des dizaines de milliers de Parisiens se passèrent les seaux pleins et les seaux vides, pendant des heures, oublièrent leurs propres problèmes, leurs angoisses personnelles, pour essayer de lutter contre le fléau qui frappait la ville. Mais il fallut abandonner tout espoir et reculer devant l'énorme chaleur dégagée par l'incendie.

Seul un autre fléau, quelque déluge, eût été capable d'éteindre cette mer de feu. Le ciel restait d'une pureté sereine, bouché seulement, au nord, par un mur de fumées et de cendres.

François, réveillé par le tocsin, courut au feu, prit place dans une chaîne. Il en revint harassé, noir de fumée, l'épouvante aux yeux. A Blanche qui lui demandait des détails, il put à peine répondre.

Il se nettoya, descendit mettre son alambic en marche, sous la cheminée de forge du serrurier.

Il avait rencontré, à la chaîne, un garçon de son quartier, mécanicien, chargé de l'entretien aux usines d'alimentation de Montrouge. Cet ouvrier, Pierre Durillot, petit, mince et blond, toujours souriant, s'amusait à peindre à ses heures de loisir, et venait parfois montrer ses toiles à François, qui lui donnait des conseils.

A la chaîne, malgré sa petite taille, Durillot s'était montré infatigable et n'avait renoncé, avec François, que devant l'évidence de l'inutilité de tout effort. Les deux hommes revinrent ensemble, et François proposa à son compagnon de coordonner leurs efforts pour subsister et sortir de Paris. Pierre accepta avec joie. Marié depuis un an, il attendait un enfant. Il se sentait plein d'angoisse pour l'avenir, et se déclara prêt à obéir à François qu'il sentait plus fort et plus déterminé que lui. François, de son côté, fut heureux de ne plus se trouver seul.

— As-tu de l'argent ? lui demanda-t-il.

— Pas grand-chose, quelques petites économies.

— Moi, il me reste quelque quatre sous. Dans deux ou trois jours, peut-être dans quelques heures, tout ça ne vaudra plus rien. Il s'agit de s'en servir pendant qu'il en est temps encore, s'il en est encore temps. Tiens, voilà toute ma fortune. Tu vas passer chez toi prendre la tienne, et tu te débrouilleras pour te procurer avant ce soir, à n'importe quel prix, ce que je vais t'indiquer.

Pierre revint à la nuit tombante avec des sacs tyroliens, des cartes routières, des quantités de boîtes d'allumettes et divers autres objets dont il n'avait même pas cherché à connaître l'utilité.

Suivant les instructions de son camarade, il avait évité de se mêler au pillage des magasins d'alimentation et de boissons. Il monta ses acquisitions dans l'atelier et vint rejoindre François. Celui-ci, le visage éclairé par les flammes, lui montra l'alambic.

— Avec ça et la Seine, nous aurons de l'eau potable à volonté. Avec cette eau, non seulement nous boirons à notre soif, mais nous pourrons obtenir ce que nous voudrons. Elle constituera une monnaie d'échange inestimable. Et Mignon nous fournira la viande.

— Mignon ?

— Oui, regarde au fond de l'atelier.

— Oh ! dis donc, un cheval ! Voilà ce qu'il nous faut pour nous trotter !

— Oui, j'y avais d'abord pensé, d'autant plus que je possède aussi la voiture, en pièces détachées. Mais je crains que l'état de santé de Blanche ne nous empêche de nous mettre en route avant une dizaine de jours. D'ici là, Mignon sera mort de faim.

— Je l'emmènerai brouter les pelouses du square...

— Oui, tu te feras assommer et voler le cheval. D'ailleurs c'est un moyen de transport trop encombrant et trop voyant. Nous ne pourrons pas passer partout avec une voiture. Et nous risquons d'être attaqués vingt fois avant d'avoir fait la moitié du chemin nécessaire pour sortir de Paris. Il n'y a rien de plus vulnérable qu'un cheval. Un simple coup de canif peut le mettre hors d'usage, et nous laisser à pied. Enfin il y a le problème de la boisson. Ça boit trop, une bête comme ça. J'ai décidé de la sacrifier. Mais il nous faudra trouver des bicyclettes pour la remplacer. Ce sera le travail de demain. Cette nuit, nous devons résoudre un problème encore plus urgent : trouver à manger... Tu connais bien les usines d'alimentation de Montrouge, où tu travaillais ?

— Comme ma poche.

— Nous tâcherons de nous y introduire et de ramener des provisions pour quinze jours ou un mois. Qu'est-ce que vous cultiviez, là-bas ?

— Un peu tout, mais surtout le soja et le blé, et des légumes verts.

— Très bien, je vais me mettre à la recherche d'une brouette pour transporter ce que nous pourrons trouver.

— Ne t'inquiète pas, j'ai ce qu'il faut. La voiture de mon môme.

Et sur un coup d'œil étonné de François, Pierrot précisa d'une voix attendrie :

— Bien sûr il n'est pas né, il s'en faut même de quatre mois, mais les femmes, tu sais ce que c'est... La mienne a acheté la voiture depuis déjà six

semaines. Elle l'a pomponnée, capitonnée, bichonnée.
Il a fallu que je la monte dans la salle à manger, et tous
les jours elle la promène autour de la table comme si le
môme était déjà dedans ! Je descendrai la voiture tout
à l'heure, ce sera plus commode qu'une brouette.

Depuis le coucher du soleil, le vent s'était un peu calmé. Il ne soufflait plus que par rafales espacées. On l'entendait venir de loin, du fond de la nuit, hurler aux carrefours, siffler dans les rues étroites, gronder en pleine charge dans les larges avenues. Tout à coup il arrivait. On recevait son coup de poing. Sans bouger, on en traversait l'épaisseur comme une vague. Son dernier remous, en passant, claquait contre un mur et troussait un arbre. Et déjà, au lointain, la rafale suivante s'annonçait.

Sur la berge sud de la Seine, grouillait une foule énorme. La moitié de Paris regardait brûler l'autre moitié. Les sauveteurs, l'après-midi, avaient poussé au fleuve une partie des voitures arrêtées sur les ponts, pour rompre les files le long desquelles courait le feu. Le vent aidant, l'incendie semblait devoir épargner la rive gauche. Mais de l'autre côté, rien ne l'arrêtait. Les flammes se roulaient sur la ville comme des chattes, se couchaient sur les pâtés de maisons, jouaient, ronronnaient, faisaient le gros dos, puis, tout à coup furieuses, poil hérissé et toutes griffes dehors,

bondissaient, crachantes, jusqu'au plafond des ténèbres.

Il n'était guère, dans la foule, d'homme ou de
femme qui n'eût une affection ou un intérêt dans la
fournaise. Il n'était pas un Parisien, même clochard,
qui ne se sentît étreint de douleur à voir brûler sa ville
et ses trésors.

Mais le sentiment qui, plus fort que la douleur et la
pitié, animait ce peuple était malgré tout la curiosité.
Puisqu'on ne pouvait rien faire d'autre que de regarder, on en prenait plein les yeux.

Dans le mur roulant de feu, le vent fonçait tête
basse et creusait parfois d'énormes trous à travers
lesquels on apercevait, toujours plus loin, d'autres
flammes. Une mer incandescente battait la Ville d'Or.
Les flammes avaient léché, mordu sa fière masse. La
foule l'avait vue peu à peu devenir rouge, blanche, se
déformer, s'affaisser, crouler en pans gigantesques, le
verre de ses murs de façade se gonfler et couler en
gouttes lentes, colossales.

Les oreilles s'étaient habituées au bruit, crépitement ininterrompu, roulement de grêle énorme qu'elles entendaient à peine tant il était plein, sans fissure.
De temps en temps, un dépôt de carburant sautait, un
pâté de maisons s'écroulait, sans faire plus de bruit
qu'une falaise qui tombe à la mer pendant la tempête.
Des équipes d'illuminés, qui criaient à la fin du
monde, sonnaient le bourdon de Notre-Dame. Et sa
voix de désespoir, monotone, ajoutait une note
humaine, tragique, à ce grondement de colère de
Dieu.

Parfois le vent tombait, et la chaleur de l'enfer
traversait la Seine. D'un seul coup elle touchait au
visage toute la foule qui reflétait cent mille fois, sur ses

joues suantes, la danse du feu. La foule criait et se
contractait vers la nuit, poursuivie par l'odeur incandescente. Tout ce que ce peuple connaissait, ce qu'il
aimait, ce qu'il touchait, ce qu'il mangeait, chair,
étoffes, bois, murs, la terre, l'air, tout, transformé en
flamme, en lumière, était dans cette odeur. Une odeur
dont nul ne pourra se souvenir, car rien ne la rappelle,
mais que personne n'oubliera, car elle a brûlé les
narines, séché les poumons. C'était une odeur de
monde qui naît ou qui meurt, une odeur d'étoile.

Dans toutes les églises, dont les cloches appelaient
les fidèles à la pénitence, des prêtres se relayaient pour
dire des messes, sans arrêt, toutes portes ouvertes,
devant une assistance énorme, agenouillée jusque dans
la rue. Des hommes, des femmes crièrent leurs péchés
devant tous, appelèrent sur leurs épaules le poids du
châtiment, pourvu que Dieu voulût bien arrêter le
fléau dont il frappait la ville.

Vers minuit, le bruit courut que le cardinal Boisselier allait dire la messe à la Tour Eiffel. A la cime de la
vieille Tour, une souscription publique avait élevé un
autel d'or, à la veille de l'an 2000. De là-haut, à
chaque Noël, le cardinal-archevêque bénissait la ville.
La tradition persista même quand le Sacré-Cœur fut
transporté sur la terrasse de la Ville Haute, et ravit à
l'autel de la Tour le record d'altitude.

Le Sacré-Cœur détruit, l'autel de la Tour Eiffel
dominait de nouveau la capitale blessée.

De toutes parts, les croyants, mystérieusement
prévenus, accoururent vers le Champ-de-Mars. Les
prêtres viennent en surplis, la haute croix en main,
entourés d'enfants de chœur qui balancent les encen-
soirs, suivis de tous les fidèles de leur paroisse, qui

chantent des cantiques et serrent dans leurs mains les cierges allumés de l'église.

Les cortèges cheminent dans les rues, dans une lumière d'or, une odeur d'encens et de sueur, un grondement de centaines de voix d'hommes que percent les soprani des vieilles filles. Toutes les fenêtres s'ouvrent. Les indifférents, les sceptiques, ébranlés par la peur, se sentent pris de doute. Bouleversés, ils se joignent, en larmes, à la foule.

De longues chenilles lumineuses s'étirent vers la Tour Eiffel, se rejoignent et se confondent en un lac palpitant de cent mille flammes. Le vent s'est entièrement calmé, comme pour épargner les cierges. La foule y voit un signe du Ciel, et redouble de ferveur. Vingt cantiques différents, clamés chacun par des milliers de fidèles, composent un prodigieux choral qui monte vers les étoiles comme la voix même de la Ville suppliante.

Le vénérable cardinal Boisselier, âgé de quatre-vingt-deux ans, n'a pas voulu qu'on l'aidât à monter les marches de la Tour. Il en a gravi, seul, cent vingt-trois. A la cent vingt-quatrième, il est tombé foudroyé par l'émotion et l'effort. Quatre jeunes prêtres qui l'accompagnaient ont pris son corps sur leurs épaules, ont continué l'ascension. D'autres prêtres, d'autres encore, les suivent sur les marches étroites. Le peuple des fidèles voit un ruban de lumière se visser peu à peu dans la Tour, atteindre enfin la dernière plate-forme. Une immense clameur monte jusqu'aux prêtres, les dépasse, rejoint le nuage de fumée qui s'étend sur le ciel. Le plus jeune des quatre abbés commence l'office. En bas, c'est maintenant le silence. Un grand mouvement fait onduler les flammes des cierges. La multitude vient de s'agenouiller. Elle se tait. Elle écoute. Elle n'est qu'une vaste oreille ouverte vers le haut de la Tour. Mais rien ne lui parvient des bruits de la messe. Elle n'entend que le lourd grondement de l'incendie.

Au bord de la Seine, un curé se redresse. De toute la force de ses poumons, il crie la première phrase de la vieille prière : « Notre Père qui êtes aux cieux... » Toutes les bouches la répètent. Les bras se tendent vers le Père courroucé. L'une après l'autre, les phrases roulent sur la place, comme la vague de la marée haute. La prière finie, la foule la reprend et s'arrête sur deux mots : « Délivrez-nous ! Délivrez-nous ! » Elle les répète, encore et encore, elle les crie, elle les psalmodie, elle les chante, elle les hurle.

« Délivrez-nous ! Délivrez-nous !... »

De l'autre côté de la Seine une coulée de quintessence enflammée atteint, dans les sous-sols de la caserne de Chaillot, ancien Trocadéro, le dépôt de munitions et le laboratoire de recherches des poudres. Une formidable explosion entrouvre la colline. Des pans de murs, des colonnes, des rochers, des tonnes de débris montent au-dessus du fleuve, retombent sur la foule agenouillée qui râle son adoration et sa peur, fendent les crânes, arrachent les membres, brisent les os. Un énorme bloc de terre et de ciment aplatit d'un seul coup la moitié des fidèles de la paroisse du Gros-Caillou. En haut de la Tour, un jet de flammes arrache l'ostensoir des mains du prêtre épouvanté. Il se croit maudit de Dieu, il déchire son surplis, il crie ses péchés. Il a envié, parjuré, forniqué. L'enfer lui est promis. Il appelle Satan. Il part à sa rencontre. Il enjambe la balustrade et se jette dans le vide. Il se brise sur les poutres de fer, rebondit trois fois, arrive au sol en lambeaux et en pluie.

Le vent se lève. Un grand remous rabat au sol un
nuage de fumée ardente peuplé de langues rouges.
Une terreur folle secoue la multitude. C'est l'enfer, ce
sont les démons. Il faut fuir. Un tourbillon éteint en
hurlant les derniers cierges. Dieu ne veut pas pardonner.

Dans les lumières rouge du feu et bleue de la lune, suivis d'une ombre rigide et précédés d'une ombre dansante, François et Pierre marchaient à grands pas vers Montrouge. Pierre poussait une voiture d'enfant à hautes roues, garnie de dentelles. François s'était armé d'un tuyau de plomb, et emportait des cordes trouvées dans le caisson de la voiture du jardinier.

Quand ils furent à proximité de l'usine, ils en aperçurent les portes éventrées. Devant elles se tenaient une demi-douzaine de gardes nationaux, sabre nu en main.

— Zut ! nous arrivons trop tard, fit Pierre. Les gens du quartier ont l'air de s'être drôlement servis ! Attends-moi là avec la cent-chevaux, je vais essayer de tirer les vers du nez des gardes-ruines...

De loin, François vit un garde menacer Pierre avec sa lame. Mais Pierre ne bougea pas, le garde baissa son arme et la conversation s'engagea. Le jeune mécanicien revint et rendit compte.

— T'as vu ce gros méchant qui voulait me percer ? Je l'ai amadoué en lui disant que j'étais de la maison.

Ils sont là à garder du vide. Tout a été nettoyé cet
après-midi.

— Il ne nous reste plus qu'à nous en retourner, et
tâcher de trouver une autre source de ravitaillement.

— Attends un peu ! Nous allons essayer d'aller voir
aux chaudières de secours. La direction de l'usine y
avait fait descendre des tonnes de grains de soja qui
n'avaient pas le calibre voulu pour la vente. C'est bien
le diable si les pillards ont eu l'idée d'aller fouiller dans
la cave à charbon.

— Mais le charbon, mon vieux, c'est aussi une
denrée précieuse, depuis qu'il n'y a plus de courant
pour faire la cuisine. Il a dû être également razzié, et
ton soja avec.

— On peut toujours aller voir !

— D'accord, allons-y !

Ils enfilèrent une ruelle et tournèrent dans une
venelle aux pavés antédiluviens. Des toits pointus
d'entrepôts se découpaient en grandes ombres sur le
ciel rouge. François poussait la voiture cahotante. Ils
virent briller sous la lune l'uniforme métallique d'un
garde national qui faisait les cent pas. Il semblait fort
embarrassé de son sabre archaïque. Il en reposait
parfois la lame sur son épaule, parfois s'en servait
comme d'une canne.

— Continuons à marcher d'un air innocent, souffla
François. Prends le tuyau de plomb et attends mes
ordres.

Ils continuèrent leur chemin. François manœuvra
de façon à passer très près du garde. Quand il fut à sa
hauteur, il lâcha brusquement la voiture et se jeta sur
l'homme. Il le ceintura du bras droit pendant qu'il lui
appliquait la main gauche sur la bouche. Le sabre se
trouvait coincé, inutile, entre eux deux.

— Pierre, enlève-lui son casque et assomme-le.

Le garde se débattait, mais François le maintenait de son bras d'acier, et, de la main gauche, lui broyait le menton et le nez. Pierre le frappa à la tempe, d'un coup timide.

— Plus fort, vieux !

— Drôle de travail, dis donc !

Le deuxième coup sonna et l'homme devint mou entre les bras du jeune homme.

Il n'eut que le temps de le coucher à terre pour rattraper Pierre qui chancelait.

Il le secoua comme un prunier.

— Sacrée femmelette ! En voilà des façons ! Si tu ne veux pas crever, toi et ta femme, il faudra mettre ta sensibilité dans ta poche, mon petit vieux ! D'ailleurs tu ne l'as pas tué, rassure-toi ! Maintenant aide-moi à le ficeler. Faisons vite.

La porte qui fermait la cour de l'usine avait également été enfoncée. Les deux garçons déposèrent le garde ligoté et bâillonné sous un tonneau vide, dans la cour, et chargèrent le tonneau d'une énorme pièce de fonte.

Le bâtiment de l'usine se dressait devant eux. Sur ses murs dansaient les reflets sombres de l'incendie. Les portes ouvertes y perçaient des trous noirs.

— Viens, souffla Pierre.

Ils entrèrent dans le hall des bacs. Du toit vitré, haut comme celui d'une maison de dix étages, tombait la lumière glacée de la lune. Comme des escaliers de géants, les bacs successifs montaient de chaque côté, à l'assaut des murs. Dans le vide du hall, résonnait le clapotis léger de l'eau qui coulait goutte à goutte, ou par fils. Une odeur suffocante montait de l'eau répandue qui brillait sur le sol. Les fumerolles qui

s'élevaient de cette nappe tiède emplissaient le hall
d'un brouillard que le vent jailli des portes éventrées
déchirait parfois et dissipait. Cette brume sentait à la
fois le fumier chaud, l'eau de Javel et le kirsch
fantaisie.

Pierre expliqua le fonctionnement de l'usine.

D'habitude, un système d'aération empêchait la
formation des vapeurs et la condensation de l'humidité. Pas une goutte d'eau par terre, bien sûr. Les
pillards avaient dû renverser les bacs. En temps
normal, l'eau chimique coulait du bac le plus haut sur
le plus bas, par lents filets. Une pompe automatique la
remontait du plus bas au plus haut, lorsqu'elle
dépassait un certain niveau. Dans cette eau, sur des
grilles de nickel pur, poussaient des légumes, des
céréales, qui avaient oublié la terre. La température de
l'eau était modifiée selon leur degré de croissance. Là,
l'inclémence du temps n'était plus à craindre. Et les
semences ne perdaient pas des mois à dormir sous la
neige. En six semaines, un grain de blé sélectionné, de
la fameuse variété forcée 712, donnait de vingt à trente
épis mûrs. C'était tous les jours le temps des semailles
et de la moisson.

Pierre parlait à voix basse, en montrant du doigt les
différents bacs à pommes de terre, à soja, à blé, à
laitues, à poireaux. Mais toute cette installation datait
du déluge. C'était une des plus anciennes usines
agricoles, et elle s'était modernisée sans vouloir pourtant sacrifier ses antiques chaînes de culture en bacs.
Elle possédait, dans un hall voisin, un des plus récents
modèles d'emblaveuses à radar. Pierre y conduisit
François. Le hall était une longue galerie d'environ
deux cents mètres de long dans l'axe de laquelle était
couchée la machine. Celle-ci présentait l'aspect d'un

bloc de métal brillant, absolument uni, à peine plus haut qu'une maison de deux étages, couché sur le sol dans toute la longueur de la galerie. Sous la lumière blême de la lune, ses parois brillaient, absolument lisses, sans une ouverture, sans un boulon, sans une courroie, sans un cadran, sans une roue visibles. Les deux compagnons dominaient, du haut d'un balcon de plastec, sa longue masse livide, rigide, dont l'extrémité se perdait presque dans la nuit. Sous leurs pieds, s'ouvrait la bouche de la machine. C'était une simple fente horizontale dans laquelle s'engageait un tapis roulant maintenant immobile. Pierre expliqua :

— Le tapis porte la semence. Chaque grain de blé enfermé dans un alvéole du tapis, le germe en l'air, est baigné dès son entrée dans des trains d'ondes qui le font germer, pousser...

— Je sais, dit François, j'ai étudié ça à l'école...

Il n'avait encore jamais vu d'emblaveuse aussi perfectionnée, mais il en avait appris le fonctionnement théorique. Ici, la plante n'avait plus besoin d'aucune nourriture, même liquide. Elle recevait de la machine, sous forme de rayonnements, de l'énergie qu'elle transformait en matière à son profit, à une vitesse prodigieuse. Le vieux processus de photosynthèse, qui avait si longtemps intrigué les savants du XXᵉ siècle, le miracle vieux comme le monde grâce auquel les plantes assimilaient l'énergie solaire, n'était plus, pour les industriels de l'an 2052, qu'un vieux cheval de bois depuis longtemps dépassé.

Dans cette machine du dernier modèle, le blé ne mettait que quelques heures à germer, pousser et mûrir, sans le secours d'un grain de terre, d'une goutte d'eau, ni d'un rayon de soleil. Toujours à l'intérieur de l'engin se faisaient d'une façon continue la moisson, le battage, la mouture, le blutage et la panification. Le grain de blé entré dans l'emblaveuse sortait à l'autre extrémité sous forme de pain frais. Dans le même temps, la machine transformait le son, selon les besoins, en sucre, en pétrole, en briques insonores, en Pernod, en carbone radioactif, ou en divers autres produits. La paille, de son côté, était transformée en laine ultra-légère et tissée. Et l'emblaveuse sélectionnait les meilleurs grains de la moisson, qui étaient aussitôt dirigés vers le tapis roulant de l'entrée...

— C'est un beau morceau de machine, dit François. Qu'est-ce qu'elle donnait comme produits de transformation ?

— Du tabac, dit Pierre avec un soupir. Et c'était une travailleuse ! Un drôle de rendement ! Chaque grain de blé donnait un pain, un cigare et une chaussette...

Il se tourna un peu vers la gauche, montra un petit bureau vitré, qui s'avançait au-dessus de la machine, au-delà du balcon, comme le nez d'un ancien avion bombardier.

— C'est le bureau du suringénieur-conducteur, dit-il. Il est tout seul pour faire fonctionner la machine. Et il a vraiment pas grand-chose à faire. Les commandes se font à la voix, devant l'oreille-radar. En principe, il y a toute une série de manœuvres, qui sont commandées par des sons dérivés de la lettre D : da, di, do, du, dou, dé, ou par des mots formés par plusieurs de ces syllabes. J'aurais jamais cru, mais il paraît que ça fait plusieurs milliers de combinaisons. Mais il se sert toujours des mêmes, une pour mettre la machine en route...

— Laquelle ?

— Dada !... et une autre pour l'arrêter.

— C'est ?

— Dodo !... Tout le reste, ça lui sert seulement en cas de panne, ou pour le nettoyage, ou quand le plan prévoit un changement de produit de transformation...

— Et s'il se trompe ?

— La machine s'arrête et se met à siffler. Si elle siffle plus de trois fois dans un mois il a une amende, et plus de cinq amendes dans un an, il est mis à la porte. Mais depuis que je travaille là, j'ai jamais entendu le sifflet. Il peut pas se tromper, il a un tableau devant les yeux. Et la plupart du temps il n'a que deux mots à dire : c'est une bonne place, bien payée, dada le matin, dodo le soir, mais il faut être instruit...

François sourit en pensant qu'il lui aurait fallu encore près de dix ans d'études pour obtenir le diplôme de suringénieur, et le droit de dire *dodo* et *dada*...

Il donna une légère tape sur l'épaule de Pierrot.

— Mon vieux, dit-il, il faudrait tout de même, maintenant, nous occuper de notre soja.

— Allons-y, c'est au sous-sol.

Comme François l'avait prévu, la soute à charbon et la réserve de soja-combustible, tout avait été pillé.

— Tout n'est peut-être pas perdu, dit Pierre. Bien sûr, en temps normal, les chaudières ne servaient pas, les bacs étaient chauffés à l'atome. Mais le chauffeur les tenait toujours bourrées, prêtes à flamber d'une seconde à l'autre en cas de panne. Ils n'auront peut-être pas eu l'idée de fouiller dans les chaudières !

Il s'approcha d'un mur où s'encastraient d'énormes portes de fonte, et en ouvrit une.

— Voilà ! Nous n'avons qu'à nous servir, s'écria-t-il.

François le rejoignit. Il aperçut, à la flamme de la bougie, un foyer de plusieurs mètres de longueur, bourré de graines de soja.

— Le chauffeur arrosait d'alcool et allumait, expliqua le mécanicien. Il y en a bien cinq cents kilos dans chaque foyer. Plus qu'il ne nous en faut.

Ils en emplirent leurs sacs tyroliens et montèrent les vider dans la voiture. Après trois voyages, elle fut pleine.

Le garde gémissait dans sa cachette.

— La relève le délivrera, dit François, filons !

Il s'attela à la voiture et, précédé de Pierre qui inspectait les carrefours, il reprit le chemin de Montparnasse.

Au nord, le ciel était une mer où roulaient d'énormes vagues de lumière et de ténèbres. La fumée retombait parfois vers le sud, effaçait de grands pans d'étoiles et barbouillait la lune.

Dans une imprimerie dont les rotatives brusquement paralysées tenaient encore entre les dents des feuilles de papier à demi crachées, une équipe de typographes avait tiré, pendant toute la nuit, sur les presses à épreuves, des affiches composées à la main.

Des équipes de gardes nationaux les collèrent à l'aube. Dès le matin, des attroupements se formèrent devant elles. Elles étaient signées du maire du XVe arrondissement, un nommé Fortuné Pivain. Celui-ci déclarait qu'il craignait que tous les ministres, et le gouverneur militaire de Paris, n'eussent péri dans l'incendie qui ravageait la rive droite. Dans ces tragiques circonstances, et pour éviter l'anarchie, il prenait, lui, Pivain, le pouvoir, la responsabilité de l'ordre dans la capitale et du ravitaillement de ses habitants. Il s'appuyait sur le colonel Gauthier, commandant le 26e bataillon de la garde nationale, en garnison à Robinson.

Il demandait à chacun de faire preuve de bonne volonté, de patience et de courage, et à tous de s'entraider.

Les Parisiens ne virent dans cette proclamation que

la confirmation de leur crainte. Le pire malheur qui pût frapper les citoyens d'un État organisé venait de s'abattre sur eux : il n'y avait plus de gouvernement !

Ce maire, obscur fonctionnaire, personne ne le connaissait. Comment lui faire confiance ? Était-il bon à autre chose qu'à lire le code et faire la quête à l'occasion des mariages ? On ne pouvait pas, raisonnablement, attendre le salut de ce porte-écharpe.

Depuis le lever du soleil, la chaleur et la violence du vent augmentaient de concert. Il fallait pourtant aller chercher de l'eau, et quêter quelque nourriture. Les boutiques d'alimentation que les pillards avaient jusque-là épargnées, et les cafés perdus dans les quartiers déserts, subirent à leur tour l'assaut des foules affamées.

Rue Saint-Jacques, une bande armée de couteaux et de matraques pilla systématiquement trois immeubles et emporta sur des voitures à bras le contenu de tous les garde-manger. Les portes de leurs appartements enfoncées, les malheureux qui tentèrent de résister furent égorgés.

Cette bande existait avant les événements qui lui avaient permis d'opérer au grand jour. Son chef, un repris de justice d'une intelligence et d'une brutalité peu ordinaires, avait su immédiatement tirer parti de la situation.

Mais des gens habituellement honnêtes ne tardèrent pas à suivre son exemple. Dans les jours qui suivirent, des groupes, des bandes se formèrent, sous l'autorité d'un chef qui s'était imposé par sa force ou son esprit de décision. Ces bandes vécurent en ravissant aux plus faibles et aux isolés leurs provisions.

Des collisions sanglantes les mirent aux prises avec des patrouilles d'agents ou de gardes nationaux.

Comme leur nombre et leurs effectifs augmentaient
sans cesse, toute force de police disparut bientôt, et,
dans la capitale ravagée, se mit à régner sans
contrainte la loi du plus fort.

Malgré les doubles parois et le vide, le froid
accumulé avait, petit à petit, quitté les chambres des
ancêtres, et abandonné à leur sort de pourriture les
morts, trésors des familles.

Les yeux avaient perdu leur brillant de glace ; sur
les globes troubles, les paupières clignaient de travers ;
la peau des visages mollissait ; les doigts tendus se
refermaient.

Les articulations profondes furent plus longues à
jouer. Réveillée à l'aube par un bruit sinistre, une
bourgeoise épouvantée cherchait vainement, dans le
petit jour, la silhouette de grand-père qui se tenait
depuis vingt ans debout près du piano, une tasse dans
la main gauche, un biscuit entre le pouce et l'index.
Elle le découvrait tombé sur son derrière près du
tabouret, la tête pendante et les bras tordus. La
broderie quittait les mains flasques de grand-mère,
qui se tassait dans son fauteuil, ouvrait une bouche
noire.

Dans tous les appartements, le même drame se
jouait. Les ancêtres abandonnaient leurs attitudes
nobles ou familières, mollissaient et tombaient les uns
sur les autres en renversant le décor. Les morts
redevenaient cadavres.

Les familles épouvantées fermèrent à clé les portes
hermétiques des chambres froides. Elles virent, à
travers les murs transparents, leurs parents défunts
verdir, gonfler, se répandre. Une odeur abominable,
d'abord faible, puis souveraine, envahit les appartements. Les vivants essayèrent de toutes les façons de

se débarrasser des morts vénérés devenus foyers d'infection. Ils en jetèrent à la Seine, mais le fleuve en apportait autant qu'il en emportait. Ils flottaient lentement dans l'eau grise, à demi nus, ventres ballonnés, se heurtaient aux piles des ponts, les contournaient à tâtons, s'abandonnaient au courant paresseux, rêvassaient le long des berges. Les familles, en convois, essayèrent de transporter leurs ancêtres jusqu'au grand feu de la rive droite. La chaleur énorme de l'incendie les empêcha d'atteindre les flammes. Elles durent abandonner leurs fardeaux chéris et redoutés dans des ruines encore chaudes, où ils se mirent à bouillir.

Finalement, on se contenta de les jeter dans la rue par les fenêtres. Les quartiers riches devinrent, en trois jours, des charniers puants que beaucoup abandonnèrent pour les cités ouvrières, déjà surpeuplées, où les malheureux se mirent à s'entre-tuer pour une bouchée de nourriture ou une goutte de boisson.

Dans les conservatoires communs, il s'était fait comme une rumeur. Des millions de morts s'étaient mis à remuer en même temps. Ils furent un peu plus longs à atteindre le stade de la pourriture que les morts de la surface, et ne la subirent pas de la même façon. Un microscopique champignon bleu s'empara d'eux, couvrit de sa mousse et de ses filaments chairs et vêtements, transforma en quelques heures chaque cadavre écroulé en une masse phosphorescente.

Les nécropoles souterraines palpitaient de myriades de feux follets qui montèrent à la surface de la ville par les fissures, les trous à rats, les fourmilières, tous les soupiraux.

Des familles qui s'étaient réfugiées dans les caves en furent chassées par ces flammes froides qui leur

montaient aux mollets et leur coururent après dans
l'escalier.

La puanteur uniforme de la mort avait remplacé,
dans la capitale, les odeurs multiples de la vie.

François avait rapidement compris que seul avec Pierrot, chargés de la jeune femme enceinte et de Blanche convalescente, ils n'avaient aucune chance de sortir sains et saufs de Paris.

Il chercha de nouveaux membres pour former une petite communauté. Il se vit obligé de les choisir dans son quartier, faute de savoir où trouver, dans Paris bouleversé, ses quelques amis.

Le premier fut Narcisse, un sculpteur d'ascendance bretonne, âgé d'une quarantaine d'années, grand et ventru, qui habitait un atelier proche. Ses voisins l'entendaient, d'habitude, chanter en pétrissant sa glaise. Il portait une barbiche à deux pointes, blonde, dorée, de son ton naturel, mais le plus souvent couleur d'argile, par l'habitude qu'il avait de s'y essuyer les mains. Il accepta joyeusement de se joindre à François, et arriva, tonitruant, son lit sur sa tête. François recruta également le docteur Fauque et sa fille Colette. Celle-ci amena au groupe un étudiant en droit, aux cheveux d'encre et au teint de pénombre, Bernard Teste. Elle, c'était une gaillarde blonde, de grosse figure, tétonnière et membrue, pas précisément belle, mais dont la puissante vitalité attirait. Le petit Teste tournait sans cesse autour d'elle. Il avait l'air d'un fétu en train de danser sous la boule d'une machine électrostatique. Elle le bousculait, ne lui laissait pas une seconde de répit. Les joues creuses, l'œil ténébreux, il nageait dans le bonheur.

François eut l'heureuse idée de recruter également Georges Pélisson, ancien coureur cycliste, qui tenait, non loin de là, un magasin de vente et réparation de cycles. Son magasin avait été pillé. Lui-même portait à la joue une estafilade. Il fournit cependant à la bande quatre vélos, une douzaine de roues, et une bonne quantité de pneus et de chambres qui se trouvaient dans sa réserve et avaient échappé aux pillards. Il était âgé d'environ trente-cinq ans. Séché par le sport cycliste, il avait de grands membres et un torse filiforme, à peine plus gros que ses cuisses.

Enfin le petit-neveu de Mme Vélin, André Martin, manœuvre aux Boulangeries parisiennes, étant venu voir sa grand-tante, la seule parente qu'il possédât à Paris, François le garda. Il était court et large, fort comme un taureau. Il avait tout juste vingt ans, des cheveux blonds, un bon visage rond et rose, et des yeux bleus comme le matin.

François fit nettoyer une remise. Chaque homme dut y apporter de quoi coucher. L'atelier fut réservé aux femmes. Le docteur Fauque déclara qu'il restait chez lui. Il ne se joindrait au groupe qu'au moment du départ. Il ne voulait pas, jusque-là, abandonner ses malades.

Le premier soin de François fut d'armer sa troupe. Il fit fabriquer des casse-tête. Chacun façonna ses propres armes. La masse de Narcisse pesait plus de dix kilos. Il s'entraîna, au milieu de la cour, à faire de terribles moulinets, en poussant des cris de guerre. Il adopta également un sabre de cuirassier décroché à une panoplie du docteur.

Lorsque chacun fut armé de couteaux, haches, épées, sabres, massues, François dirigea deux nouvelles expéditions contre l'usine alimentaire de Montrouge. Personne ne la gardait plus, et tout se passa sans incident. François chargea Martin de dénicher un four de boulanger. Bien que le pain fût tout fabriqué dans les usines des Boulangeries parisiennes, Martin connaissait un four clandestin qui servait, de temps en temps, à cuire en fraude du pain de farine de blé de terre. Il était l'ami du propriétaire. Il trouva tout le monde parti, enfonça la porte.

François fit abattre Mignon. Désossé, coupé en tranches, il fut porté au four, et sa viande desséchée.

Pendant le même temps, Pierrot dirigeait la fabrication de deux chariots légers mais vastes, portés chacun par deux roues de bicyclette. Narcisse et Bernard Teste, qui ne savaient pas monter à vélo, prirent des leçons sous la direction de Pélisson.

Un matin, Pélisson et Martin revenaient de la corvée d'eau de Seine. Ils poussaient devant eux la voiture d'enfant chargée de bidons pleins. Cinq cyclistes les dépassèrent en trombe et s'arrêtèrent devant le n° 20 *bis* de la rue Raymond-Magne.

Deux hommes restèrent près des vélos pour les garder, pendant que les trois autres entraient dans le couloir. Pélisson et Martin entendirent des bruits de portes brisées et des cris. Quelques instants plus tard, les trois hommes reparaissaient, des sacs gonflés attachés sur le dos, sautaient sur leurs vélos et s'enfuyaient en compagnie de leurs complices.

Pélisson poussa une exclamation :

— J'en connais un ! Je l'ai reconnu ! Je sais qui c'est !

— Un des cinq ?

— Oui ! Qui aurait cru ça de lui... C'est mon tailleur !

Ils s'approchèrent de l'immeuble où avait eu lieu l'attentat. Déjà le chœur des voisins se lamentait dans le couloir. A travers la fenêtre du rez-de-chaussée Pélisson aperçut une femme couchée sur le sol, la tête fendue, et, jeté sur elle, le cadavre d'un garçonnet.

Le même soir, le docteur Fauque s'en fut droit à la forge, et mit à bouillir une seringue hypodermique sur quelques charbons.

Après l'avoir longuement attendu, Colette avait déclaré qu'il fallait commencer de manger, et avait servi le repas dans la cour, autour de deux tables rondes tirées d'un entrepôt de meubles.

Le docteur vint à son tour prendre place sur la chaise qui lui était réservée.

— Je vais vous faire à tous une piqûre de sérum, dit-il. Le choléra est à Paris.

Les fourchettes retombèrent à côté des assiettes. Mme Durillot poussa un petit cri et porta ses deux mains à son ventre.

— Il est préférable, reprit le docteur Fauque, que vous interrompiez votre repas. Cette piqûre est à peu près inoffensive, mais risque de vous donner la nausée si vous avez l'estomac plein. Elle n'est dangereuse que pour les malheureux déjà atteints par le choléra. Celui-ci n'a pas encore fait de grands ravages. Je n'ai constaté que trois cas, mais avant deux jours la maladie se sera étendue comme une inondation. C'était inévitable. Les morts pourrissent les vivants...

Il se leva, vida l'eau de la casserole, monta une aiguille sur la seringue, soupira :

— Nous allons assister à une terrible hécatombe ! Je me suis rendu immédiatement à l'autre bout de Paris, à l'Institut des sérums, où j'ai trouvé un dernier préparateur en train de manger les derniers cobayes. Il m'a donné ces boîtes d'ampoules, les seules suffisamment récentes pour être efficaces. C'est un microbe dont la culture était presque abandonnée. On croyait la maladie disparue de la surface du globe, et ses germes exterminés. Il faut croire qu'en certaines circonstances ils naissent spontanément de la pourriture... De toute façon, j'ai là de quoi préserver de leur atteinte une cinquantaine de personnes. Pas davantage. Mon cher Deschamps, si vous voulez, je vais commencer par vous.

En une heure tout le monde fut piqué, y compris le docteur Fauque lui-même, par sa fille. Pélisson et Martin racontèrent alors leur aventure du matin. François, très intéressé, chargea Pélisson de retrouver la trace de son tailleur-pillard.

— Ils ont des vélos, et certainement des provisions, c'est-à-dire exactement ce qu'il nous faut...

Le lendemain à midi, Pélisson revint avec les renseignements demandés.

— Ils sont installés chez le boucher. Ce doit être lui le chef de bande. C'est un gros massif, je le connais bien. Il ne voulait pas me consentir un franc de crédit, la brute. Ils sont là une douzaine, tous les commerçants de mon quartier. Pendant qu'une partie va en expédition, les autres restent pour garder. Ce matin je les ai vus s'en aller cinq, revenir, et six autres partir.

François se fit indiquer les lieux, s'y rendit, les inspecta discrètement, et, revenu à l'atelier, donna ses instructions. Il emmènerait avec lui Narcisse, Teste et Martin. Les autres hommes resteraient à la garde du camp.

La boucherie, repaire de la bande du tailleur, se trouvait au milieu d'une courte rue, la rue Catherine-Renon, désignée sur les vieux plans par le nom de rue Fermat. Elle aboutissait à l'une des portes du stade qui remplaça, en l'an 2021, le cimetière Montparnasse.

François exposa son plan aux autres hommes de son groupe, et les envoya se coucher.

Le lendemain, avant l'aube, il éveillait tout le monde. Les quatre hommes se glissèrent dehors dans la nuit qui pâlissait. Chacun dissimulait ses armes de son mieux.

Narcisse portait sa lourde masse comme un paquet, au bout d'une ficelle, enveloppée dans de vieux journaux. Il avait glissé son sabre dans la jambe de sa combinaison.

François s'était fabriqué une arme de cavalier : une lance, formée d'un poignard fixé au sommet d'une perche solide. Il enveloppa la lame d'un innocent papier.

Martin le boulanger s'était trouvé des armes culinaires : une broche, dont il avait aiguisé la pointe, et un couteau à découper qu'il portait dans sa poitrine, la lame en l'air, ce qui l'obligeait à marcher raide, le menton haut.

Teste était devenu vert lorsqu'il avait su qu'il ferait partie de l'expédition. Il avait fendu, en grinçant des dents, l'extrémité d'une canne de jonc, avait introduit et ligoté dans la fente la lame d'un rasoir à main.

François posta Narcisse et Teste à une extrémité de la rue, et s'en fut à l'autre en compagnie de Martin.

A la première heure du jour, la grille de fer de la boucherie fut écartée, et deux cyclistes, qui portaient des arrosoirs accrochés à leur guidon, en sortirent et s'en furent. Quelques instants après, cinq hommes sortaient encore, dont trois portaient au dos des sacs vides. Ils enfourchèrent leurs vélos et disparurent à leur tour. Sur le seuil de la boucherie, un gros blond, cheveux hirsutes et combinaison dégrafée, les regarda partir, leva les yeux au ciel pour voir le temps, bâilla, s'étira. Il n'en finissait plus de chasser le sommeil.

— Vite ! souffla François.

Il tourna le coin de la rue et s'avança vers la boutique, sa perche sur l'épaule. Derrière lui, Martin arrivait. Il fouillait négligemment dans sa poitrine, semblait y chercher du doigt quelque parasite. Son cœur battait contre ses doigts serrés sur le manche du couteau.

A l'autre bout de la rue, Narcisse déboucha. Il balançait son paquet au bout de sa main droite, et sifflotait. Teste suivait, deux pas plus loin, élégant, sa canne claire en main. Qui l'eût regardé de près eût vu trembler les muscles de ses mâchoires. Il avait peur. Mais il se jurait de se comporter de manière à ne pas rougir de honte devant Colette.

François marchait sur la chaussée, à deux mètres environ du trottoir. Il était décidé, sans colère, sans peur. Parvenu à la hauteur de la boucherie, il saisit la lance à pleine poigne, la pointa en avant et s'élança. L'homme eut à peine le temps de le voir venir. Comme il ouvrait la bouche pour crier, le poignard enveloppé de papier blanc s'enfonça tout entier entre ses dents et lui ressortit, nu, parmi les cheveux.

François, sur son élan, entra dans la boutique avec le cadavre au bout de sa pique. Ses trois coéquipiers s'étaient précipités derrière lui. Narcisse, avec un « han » de joie et de fureur, jeta sa masse dans la poitrine d'un homme qui venait de saisir un couteau de boucher. Le bloc de fonte l'écrasa contre une cloison. Les côtes broyées, il retomba en avant, la langue entre les lèvres et les bras mous. Des exclamations fusaient dans une pièce voisine. Narcisse tira son sabre, ouvrit une porte, et cria : « Rendez-vous ! »

Un grognement lui répondit. Il se trouvait dans un couloir assez étroit. A l'autre bout du couloir, une autre porte venait de s'ouvrir, un colosse roux apparaissait. Narcisse reconnut le boucher, le chef de la bande, à la description qu'en avait faite Pélisson. Il tenait de la main droite un couteau effilé, presque aussi long que le sabre du sculpteur, et de la main gauche un couvercle de machine à laver en guise de bouclier. Les deux hommes, le colosse roux et le barbu, s'examinèrent pendant une fraction de seconde, et poussèrent en même temps un grognement de colère que le couloir étroit amplifia. Narcisse sentit monter en lui une fureur de corsaire. Il courut en avant, le sabre brandi jusqu'au plafond, et abattit sa lame à toute volée. Le rouquin avait levé son couvercle. Le sabre le coupa en deux, s'abattit sur l'épaule et s'arrêta à l'os. Le boucher, rugissant de rage autant que de douleur, se fendit en avant. Son couteau visait le ventre du sculpteur. Celui-ci recula d'un saut, mais se heurta à Martin, et tous deux roulèrent à terre.

Le rouquin se pencha, le visage grimaçant de haine. Il n'eut pas le temps de frapper. Teste, tremblant, la mine dégoûtée, lui avait promené le bout de sa canne sous le menton. Le colosse, surpris, se redressa, s'appuya au mur, essaya de respirer, porta les mains à son cou par où l'air entrait avec un bruit de sifflet mouillé. Le sang lui gicla entre les doigts. Il comprit qu'il était en train de mourir. Ses yeux s'agrandirent d'horreur, se voilèrent. Il glissa le long du mur sur ses genoux pliés. Narcisse et Martin étaient déjà debout lorsqu'il tomba.

Cependant, une main avait refermé la porte au bout du couloir. Narcisse jeta sa masse contre la porte, qui éclata. François et ses camarades se précipitèrent et n'eurent que le temps de rattraper deux hommes qui ouvraient une fenêtre pour s'enfuir. Ils les ficelèrent et les jetèrent dans le frigidaire. L'appartement comprenait encore trois pièces, dont deux bourrées de provisions de toutes sortes, et une autre occupée par deux rangées de matelas à même le sol.

Après s'être assuré qu'il ne restait aucun bandit à l'intérieur, François donna brièvement des ordres, fit préparer le piège pour ceux qui n'allaient pas tarder à revenir. La grille fut laissée à peine ouverte, de façon qu'ils ne pussent entrer qu'un à la fois. Derrière la grille, des rideaux rouges étaient tirés. Par un trou dans le rideau, Martin surveillait la rue...

— Voilà la corvée d'eau, dit-il.

Les deux hommes arrêtèrent leurs bicyclettes le long du trottoir et décrochèrent leurs bidons. L'un d'eux s'avança, un récipient au bout de chaque bras. Il entra dans la pénombre de la boucherie, et tomba en avant, la tête cassée. Ses arrosoirs roulèrent à terre.

— Sacré bon dieu de maladroit ! jura l'homme resté dehors. Qu'est-ce que t'as encore fait ?...

Il entra à son tour, et subit le même sort que le précédent. François sortit chercher les vélos.

Les membres de la bande partis en expédition arrivèrent peu après. Ils n'étaient plus que quatre, dont un portait à l'épaule le cycle de l'absent. Leurs sacs paraissaient vides. Ils avaient dû se heurter à une résistance inattendue.

Le premier qui entra fut assommé sans bruit, mais le second, mal frappé, hurla. Les deux autres bondirent sur leurs vélos. Narcisse et Teste, qui les guettaient de la fenêtre, leur sautèrent dessus. François sortit à son tour, suivi de Martin. Les deux gaillards, assommés, furent rentrés dans la boucherie avec les cinq bicyclettes.

Dans la rue, quelques fenêtres s'étaient ouvertes et vite refermées. Deux passants, témoins de la bagarre sur le trottoir, s'enfuirent. Nul ne se souciait de se mêler à ce qui semblait être une explication entre deux bandes rivales.

François fit le bilan de l'expédition : des quantités de conserves de toutes sortes, de l'argent et des bijoux qu'il dédaigna, sept bicyclettes en bon état, quatre haches et deux douzaines de gros couteaux, cinq morts, trois mourants, un blessé léger et deux prisonniers indemnes.

Enfin, enfouis dans quatre caisses de sel, d'importants quartiers de viande qui portaient les cachets des meilleures usines de Paris.

Narcisse se frottait les mains, et entonnait un chant breton. François dut le faire taire.

— L'humanité nous commande d'achever les mourants plutôt que de les laisser sans soins, dit alors le sculpteur, mais qu'allons-nous faire des prisonniers et du blessé ? Je propose de les garder ici tant que nous n'aurons pas tout déménagé, puis de leur laisser courir leur chance.

— Si nous les laissons partir, répondit François, ils risquent de retrouver nos traces, de repérer notre camp et d'ameuter contre nous la populace en dénonçant nos provisions. Je sais que ce n'est pas drôle de tuer des gens sans défense, mais nous devons, avant tout, songer à assurer notre propre sécurité. Nous vivons des circonstances exceptionnelles qui réclament des actes exceptionnels. Ceux qui sortiront de cet enfer seront peu nombreux. Si nous voulons en être, nous devons nous refuser à toute pitié.

Il s'arrêta quelques secondes, reprit en regardant l'un après l'autre les trois hommes qui pâlissaient :

— Nous ne laisserons ici personne de vivant. Je pourrais moi-même faire cette besogne. Je la ferais sans remords. Mais dans l'intérêt de tous, il faut que chacun prenne l'habitude de m'obéir sans discuter, quoi que je lui commande...

Teste respira un grand coup et tendit la main. Il s'était étonné, dans le feu de la bataille, de ne plus penser à avoir peur. Sa victoire dans le couloir lui avait procuré un plaisir étrange. Maintenant il désirait cette hache. Il s'impatientait. François fit « non », et, doucement, la donna à celui qui paraissait le plus bouleversé. C'était Martin.

Le jeune homme devint livide. Il fit un geste pour repousser l'arme, mais, devant le regard de François, se reprit, empoigna le manche, essuya d'une main la sueur qui lui perlait au front, et se dirigea vers la pièce où les prisonniers ficelés, les blessés et les morts gisaient sur les matelas.

Une gerbe de hurlements s'éleva derrière la cloison. Des chocs sourds coupèrent net un cri, puis un râle. Un autre coup sonna, une autre voix se tut. La dernière filait une note suraiguë, sous la pression de l'épouvante. Un coup de hache la trancha net. Un silence définitif s'établit. La porte s'ouvrit lentement. La silhouette trapue de Martin parut. La hache lui pendait au bout du bras. Il regardait ses compagnons d'un regard fixe, halluciné.

François lui dit d'un ton de léger reproche, comme à un enfant peu soigneux :

— Il faut essuyer ta hache, voyons !

Le petit boulanger se retourna, pénétra de nouveau dans la pièce. Ils l'entendirent déchirer une étoffe. Il revint avec un morceau de chemise, dont il frotta soigneusement le fer de l'arme.

Son visage reprit, à cette besogne, son expression normale. Mais son regard restait dur, il avait perdu tout reste d'enfance.

Il s'approcha de François, lui rendit la hache brillante :

— Après ça, dit-il, je suis prêt à tout...

Toutes les marchandises furent déménagées dans la même journée et dans la nuit qui suivit. Les quartiers de viande subirent la même préparation que l'infortuné Mignon. Il fallait se décider à partir. La vie dans la capitale devenait impossible.

Dans les rues, où les détritus s'amoncelaient, circulaient des gens aux joues creuses qui s'entreregardaient comme des loups. Des vieillards, des enfants, des femmes, incapables de se procurer par la force de quoi manger, fouillaient les ordures, les épandaient sur la chaussée, y trouvaient d'immondes nourritures qu'ils dévoraient sur place. Parfois un d'eux chancelait, portait la main à sa tête, s'abattait d'une pièce, et se roulait sur le sol en claquant des dents, jusqu'à ce que l'immobilité de la mort le saisît.

Les cadavres noircissaient en quelques minutes et pourrissaient activement au soleil torride. Les chiens se les disputaient en râlant. La nuit, les rats leur mangeaient la tête. Les chats en emportaient des morceaux sur les toits. Une puanteur atroce baignait la ville. Sur la rive droite, le mur roulant de flammes et de fumée s'éloignait vers le nord, poussé par le vent.

Tout ce qui pouvait marcher était parti, fuyant la mort. Les fugitifs s'imaginaient trouver dans d'autres villes plus de chances de survivre, ou, dans la brousse des campagnes abandonnées, avec un air plus sain et de l'eau potable, de quoi manger.

Seuls restaient les faibles, incapables de se traîner sur les routes, et quelques optimistes qui étayaient sur des provisions de conserves et de vin l'espoir d'un retour prochain à la vie normale.

Restaient également les pillards, les escarpes professionnels et aussi d'honnêtes gens qui, ayant refoulé pendant toute une vie respectable l'envie haineuse des biens d'autrui, donnaient enfin libre cours à leurs instincts. Ils entraient dans les appartements vides, fouillaient les moindres tiroirs, lisaient les lettres, dépliaient le linge, s'emparaient des bijoux, des vêtements et des presse-purée perfectionnés, entassaient dans des pièces étroites assiégées par la mort des bric-à-brac et des fortunes inutiles sur lesquelles, un jour, le choléra les abattrait.

Vieillards, pillards, femmes, malades, tous buvaient l'eau de Seine qu'ils aseptisaient selon les moyens dont ils disposaient. Et l'eau de Seine ensemençait en eux le mal noir. De jour en jour, on rencontrait le long des trottoirs plus de morts et moins de vivants.

L'agonie de la ville venait battre sans l'entamer l'îlot formé par le camp de François et de ses compagnons. Depuis l'apparition du choléra, le docteur Fauque faisait distiller l'eau deux fois et exigeait une hygiène rigoureuse.

Le long des cadres furent accrochés une hache ou un sabre lame nue, prêts à servir à tout instant. Blanche et la femme de Pierrot tireraient une remorque, Colette et Teste tireraient la seconde. Les autres hommes formeraient autour d'eux une garde vigilante.

En ordonnant ainsi la composition de la caravane, François avait compris cette coutume des nègres d'Afrique ou des Arabes, dont parlaient les anciens récits de voyages. Leurs auteurs ne cachaient pas leur mépris pour ces hommes forts qui faisaient porter leurs fardeaux par leurs femmes, alors qu'eux-mêmes marchaient à côté d'elles, les mains libres. La nécessité avait certainement dicté cette façon d'agir. Ces peuples, guerriers autant que migrateurs, devaient se tenir sans cesse prêts au combat au cours de leurs déplacements. Les femmes, plus faibles, portaient les bagages de la tribu, pendant que les guerriers, sur leurs gardes, tenaient leurs mains à leurs armes, et réservaient leurs forces pour la bataille.

La même nécessité avait inspiré à François des mesures analogues.

La veille du départ, François décida de pousser une reconnaissance sur les chemins qu'ils allaient emprunter. Il se fit accompagner par Narcisse. Partis sur leurs vélos, armés, dès le lever du jour, ils arrivèrent bientôt à l'autostrade n° 9 qu'ils comptaient prendre pour s'éloigner vers le Sud.

Mais ils ne purent aller loin. La disparition du flux électrique avait immobilisé sur la route un énorme courant de véhicules. La mort avait ensuite frappé les fuyards qui se glissaient entre les voitures, pour tenter de s'éloigner de la ville. Des cadavres tordus par l'agonie, aux chairs fouillées par une active vermine, gisaient partout, accrochés aux autos, tombés entre leurs roues, accablés les uns sur les autres. Leur décomposition allait si bon train qu'ils paraissaient trembler dans la lumière, et le vent puant apportait

aux oreilles des deux hommes le bruit du travail de
leur chair, semblable à celui d'une immense chaudière
bouillant à petites bulles sur un feu doux.

Toutes les autostrades, toutes les routes de grande
circulation devaient être également obstruées par les
cadavres d'autos et d'hommes. Il fallait fuir par des
chemins secondaires, si c'était possible.

Rentré au camp, François consulta les cartes. Elles
lui montrèrent le magnifique réseau d'autostrades,
squelette autour duquel s'arrondissait la chair des
villes soudées les unes aux autres en un seul corps.
Mais entre ces villes, à part une ceinture de bois et
jardins truffés de villas, qui s'étendait à cinquante
kilomètres autour de Paris, à part la région méridio-
nale coupée de nombreuses routes, à part quelques
cités de loisirs au cœur de la campagne, les cartes ne
montraient rien que les taches jaunes de la brousse qui
avait remplacé les champs cultivés et envahi les
chemins.

C'était à travers ce désert qu'il faudrait se frayer une
voie.

François exposa la situation à ses compagnons.

— Nous partirons demain, dit-il, par d'anciennes
routes dont j'ai retrouvé la trace sur des cartes du
siècle dernier. Nous avons des vivres en abondance.
Nous en laisserons quelque peu à Mme Vélin. Nous ne
pouvons l'emmener. Elle succomberait aux premières
étapes. Nous irons jusqu'en Provence. C'est le seul
endroit où nous pouvons espérer recevoir de l'aide
pour recommencer notre vie. Le voyage sera long, les
obstacles nombreux. Nous arriverons. Il suffit de
vouloir.

La première partie du voyage, qui devait conduire la caravane jusqu'à la lisière de la brousse, à travers cent kilomètres d'usines, cités ouvrières, jardins et parcs, s'avérait la plus dangereuse, sinon la plus pénible. La caravane mit deux semaines à franchir ces vingt-cinq lieues. Ce furent deux semaines de batailles continues contre les vivants et contre les morts. Il fallait écarter les uns du chemin, et défendre sa vie et ses provisions contre les autres. On voyageait de nuit. François et Narcisse marchaient devant, à pied, armés chacun d'une longue perche, et poussaient de côté les cadavres qui s'en allaient en morceaux. Puis venaient les deux remorques entourées des hommes qui tenaient d'une main leur vélo, de l'autre leur arme. Le jour venu, François choisissait quelque maison abandonnée où les remorques pussent entrer, et la bande s'y barricadait. Elle repartait à la nuit tombée.

Une nuit, comme le groupe s'était engagé dans la banlieue noire, celle où se trouvaient groupées toutes les industries de transformation du charbon, Martin, qui marchait en avant-garde, arriva devant une étrange maison. Depuis deux heures qu'il était parti, il

n'avait vu, sinistrement éclairés par la lune, que murs
sales d'usines, entassements de houille, alignements
de maisons carrées, toutes semblables, suantes de
suie.

Et voici qu'au coin de deux rues se dressait un
édifice tarabiscoté, survivant du début du XXᵉ siècle,
villa bourgeoise de campagne rattrapée par la ville, et
qui se dressait au milieu d'elle comme une île de
blancheur. La lumière de la lune éclatait sur ses murs
récemment crépis, rehaussait d'ombre les mille détails
de sa façade, creusait les dessous des balcons, vernis-
sait de bleu l'ardoise de ses coupoles. Ses portes et ses
fenêtres closes tenaient mal enfermée la vie qui brûlait
à l'intérieur. Par toutes les fentes giclaient une lumière
vive, des morceaux de rire de femmes, des chants
d'hommes, des plaintes d'amour.

Martin, saisi, s'arrêta, s'approcha d'une fenêtre,
essaya de voir ce qui se passait dans la pièce, aperçut,
par une fente, des tranches de nudités, un coin de
table chargé de victuailles, un bouquet flambant de
hautes bougies, une main d'homme levant un verre
mousseux, des dentelles, une chevelure d'or renversée
sur le dos d'un fauteuil.

Une main d'ombre se posa sur son épaule. Il se
retourna, la hache levée.

— Ne frappez pas, vous ne tueriez qu'un mort, dit
une voix basse. Regardez. Ai-je l'air d'un vivant ?

Les yeux de Martin, encore emplis de lumière,
reprirent l'habitude de la nuit. Devant lui se tenait un
vieillard au visage enfoui dans une barbe blanche. Ses
manches déchirées laissaient passer les os de ses
coudes. Un grand trou de son vêtement découvrait les
arceaux de ses côtes. Au-dessus de ses pieds nus, ses
jambes, autour desquelles flottaient des lambeaux

d'étoffe, ressemblaient à des bâtons. Il s'appuyait à
une arme faite d'un grand couteau courbe attaché à
une perche. Il se mit à rire, doucement, d'un rire
grinçant, sinistre. Martin frissonna.

— J'aurais pu vous saigner avant que vous m'ayez
entendu venir, dit-il. Baissez votre hache. Vous ne
frapperiez qu'un vieux sac d'os. J'aurais pu vous tuer
pendant que vous regardiez à cette fenêtre. Vous ne
pensiez plus à vous garder. Les gens qui s'approchent
de ce lieu perdent jusqu'au souci de leur vie. Il faut
vous en aller. Cette maison abrite les sept filles de
l'Amiral. Je les connais. Je les ai vues arriver l'une
après l'autre, quand leur père les ramenait des divers
coins du monde où elles sont nées. Elles sont arrivées
minuscules, chacune dans les bras d'une nourrice de
leur couleur. Maintenant, l'aînée a trente ans. C'est
une grasse blonde du Nord, avec des yeux couleur de
miel. La plus jeune en a quinze. C'est une Jaune de
l'Orient, aux cheveux vernis. Ses ongles sont couleur
de sang.

« Leur père est parti pêcher des perles à l'Archipel.
Il leur en envoie des pleines valises, qu'elles dissipent
aussitôt en toutes sortes de joies. Il ne peut jamais
revenir. Il doit toujours pêcher encore, envoyer de
nouveaux trésors à ses filles qu'il n'a pas vues grandir.
Les plus beaux hommes de la ville ont franchi la porte
de cette maison, essuyé leurs lèvres aux draps de
dentelle de l'une au moins des filles de l'Amiral.

« La peste, la faim, les catastrophes n'y ont rien
changé. Si vous êtes jeune, beau, si vous arrivez les
bras chargés de richesses de bouche, vous pouvez
frapper, vous serez reconnu et la maison vous accueil-
lera. Mais si vous venez les mains vides et les joues
creuses, si l'âge ou les peines vous ont marqué, on

n'entendra même pas le bruit de vos poings sur la porte. Dans ce cas, il vaut mieux que vous passiez votre chemin. Il ne faut pas faire comme ceux-là... »

Il tendit la main vers la nuit, et Martin devina, dans les coins obscurs, des silhouettes d'affamés, qui cernaient la maison de leur avidité de loups maigres.

— Ceux-là n'ont pas pu repartir. Ils sont retenus ici par la soif et la faim de tout ce qui se trouve dans cette maison. Je voudrais les empêcher d'en éteindre les lumières. Ce sont les dernières lumières de joie du monde. Jusqu'à maintenant ils n'ont encore rien tenté. J'ai réussi à leur faire peur. Mais ça ne durera pas toujours. Ça ne durera même plus longtemps. Ils en arrivent à n'avoir plus peur de la mort.

Le vieillard ricana, fit un grand geste de menace vers l'ombre avec sa lame. Martin entendit craquer ses articulations, et devina dans la nuit des reculs et des fuites. Mais l'obscurité se repeuplait rapidement, devenait dense. Une rumeur montait, faite de piétinements, de murmures et de grincements de dents. Le vieillard s'excitait, dansait sur place, riait, insultait les affamés, décrivait de grands cercles avec sa faux. Sa barbe blanche flottait dans la lumière de la lune. Il semblait ne plus penser à Martin. Celui-ci en profita pour s'éloigner. Il gardait dans les yeux le reflet des éclairs de chair et de flammes parvenus jusqu'à lui à travers la fente du volet, et dans les oreilles les grincements de la voix et des os du vieillard.

Il rejoignit la caravane, la fit arrêter et raconta son aventure à François. Celui-ci se mit à rire.

— Tu n'as donc pas reconnu la maison ? Tout Parisien connaît ses trois coupoles et les macaronis de sa façade. C'est le Delta, le plus fameux lupanar de la capitale. Et ton vieillard avait sans doute le cerveau dérangé par la faim. Peut-être les filles se font-elles maintenant régler en victuailles, espérant tenir ainsi jusqu'à des jours meilleurs. Mais cela risque de leur coûter cher. De toute façon, nous allons passer au large de cet endroit-là.

Martin reçut de nouveaux ordres et repartit dans une nouvelle direction. A peine s'était-il éloigné de quelques pas qu'un concert de cris sauvages s'éleva dans la nuit. Les ventres creux donnaient l'assaut à la maison blanche.

Le lendemain soir, une dizaine d'hommes armés de couteaux tombèrent à l'improviste sur les arrières de la colonne. Les sabres et les haches firent de terribles ravages, mais Pélisson fut tué. Comme les trois survivants du groupe agresseur s'enfuyaient, François les interpella et leur offrit d'entrer dans sa troupe, à condition qu'ils lui jurassent obéissance. Ce qu'ils firent aussitôt avec une grande satisfaction.

Ils se nommaient Fillon, ouvrier imprimeur, Debecker, cordonnier, et Léger, avocat.

Ils n'avaient pas mangé depuis trois jours, et pas bu depuis la veille.

Le groupe s'agrandit encore de cinq gardes nationaux à cheval, les derniers survivants d'une compagnie qui avait tenté de gagner la campagne avec ses fourgons, le choléra, la peur et les attaques des dévorants qui se jetaient sur les chevaux le couteau à la main, et leur coupaient des tranches avant même de les abattre, avaient, en huit jours, anéanti la compagnie. Le docteur Fauque fit aux nouvelles recrues une piqûre anticholérique. Debecker et un garde succombèrent. Les survivants continuèrent la route. Ils vivaient dans une épaisse odeur de pourriture. Ils n'y prêtaient plus attention. Toute sensibilité était abolie.

Les instincts primitifs et les règles premières du clan régnaient seuls : sauver sa peau, veiller à celle des compagnons, obéir au chef.

Enfin les maisons s'éclaircirent, et, un matin, les premiers arbres des parcs de la ceinture de Paris apparurent. Mais sous les arbres des parcs, comme des champignons vénéneux, des cadavres encore, des cadavres noirs, en grappes, se répandaient sur l'herbe.

Le jour se levait quand la caravane parvint à proximité d'un haut mur qui semblait clore un parc très vaste. Une porte de bronze entrouverte laissait voir, au bout d'une allée semée de gravier, une grande maison de quatre étages, de style XXe siècle, qui paraissait inhabitée.

François s'assura que la porte du parc pouvait se fermer de l'intérieur et pensa que ce serait là un lieu idéal pour camper. Il fit entrer ses compagnons et les véhicules, ferma la porte, organisa une sorte de petit camp retranché, adossé au mur du parc et, une hache en main, s'approcha de la maison, accompagné du fidèle Martin.

Un escalier de ciment conduisait à un perron bas. Une petite plaque de marbre noir vissée près de la porte portait ces mots gravés :

Institut d'électrothérapie mentale n° 149.

— Zut ! dit Martin, nous sommes chez les piqués !

Tout le monde, en effet, connaissait l'existence, dans la banlieue de Paris, de six cent dix-sept instituts semblables, où les fous étaient soignés d'après la méthode inventée par un aliéniste du XXe siècle. Son procédé avait été amélioré, mais le principe restait le même. Assis sur une chaise électrique, le patient recevait une série de décharges de courant à haute tension, d'intensité soigneusement calculée. Dans un grand nombre de cas, le choc rendait la mémoire aux amnésiques, l'optimisme aux déprimés, la modestie aux mégalomanes, la modération aux érotomanes, et, à tous, cette façon particulière de considérer l'univers que les hommes nomment la raison. La proportion des guéris était de quatre-vingts pour cent.

Un ministre de la Médecine, qui portait le nom prédestiné de Dépiqueur, avait été séduit par l'efficacité de cette thérapeutique, et l'avait nationalisée. C'était à lui que les Parisiens devaient l'édification, autour de la capitale, de cette ceinture d'instituts chargés de les défendre contre la folie par l'application de la méthode du choc électrique.

Il avait également doté d'instituts semblables toutes les autres villes. Le populaire donna à la fois aux instruments et aux instituts qui les abritaient le nom du ministre. Celui-ci, fugitif titulaire d'un portefeuille, était en passe de devenir à la fois aussi célèbre et non moins oublié que M. Quinquet ou M. Poubelle.

L'usine, la radio et l'alcool réunis détraquaient un grand nombre de cerveaux. Le carnet de santé, que chaque citoyen recevait à sa naissance, et grâce auquel il lui était impossible d'échapper aux douze vaccinations et vingt-sept piqûres obligatoires, permit de surveiller l'état mental de la communauté et de chacun de ses membres. En 2026, une vague d'énervement et de pessimisme menaça la nation et provoqua une recrudescence énorme des divorces et des suicides. Sur avis du Grand Conseil médical, le gouvernement prit un décret d'urgence. Toute la population passa sur la chaise de choc. Hommes, femmes, enfants, vieillards, chacun reçut son coup de Dépiqueur.

Le résultat fut si probant qu'une loi institua un examen mental annuel obligatoire pour tout le monde. A la suite de cet examen, chaque printemps, un grand nombre de citoyens passaient au Dépiqueur. Les simples énervés, anxieux, tiqueurs, grimaciers, bègues, timides, ceux qui rougissent d'un rien et ceux qui dorment debout, les sans-mémoire, les parleurs nocturnes, les distraits, les avaleurs de vent, les grince-dents, les trembleurs, les vantards, les parle-toujours, les taciturnes, les bouche-bée, les excités, les mous, les coléreux, les contrits, bref, les petits dérangés recevaient seulement une petite secousse qui les repoussait dans le droit chemin de l'homme moyen dont ils tendaient à s'écarter.

La santé publique y gagnait, et la qualité de la main-d'œuvre, manuelle ou intellectuelle, également. Certaines grandes entreprises où le travail, particulièrement pénible, excitait énormément à la consommation des spiritueux avaient fait installer des Dépiqueurs à l'usine même, entre la cantine et l'urinoir. Chaque ouvrier dont la production baissait venait y prendre un choc.

Pour guérir les grands aliénés, les obsédés, les tordus, il fallait leur en mettre un grand coup qui leur raidissait les muscles, leur bouleversait la moelle, et faisait un peu bouillir leur matière grise. Beaucoup y retrouvaient la raison. Tel qui s'était assis Napoléon ou Dieu le Père se relevait tourneur sur métaux, employé de banque ou poinçonneur au métropolitain, et toujours enchanté, ce qui montre que l'homme se satisfait facilement de son sort. Il était, en tout cas, récupéré en tant que citoyen utile à la collectivité.

Les résistants, ceux qui se cramponnaient à leur rêve, se crispaient sur la chaise, la mousse aux lèvres et les yeux jaillis, qui supportaient des secousses à tuer six ânes, et eussent plutôt fait péter la machine qu'accepté qu'on leur remît la cervelle à l'endroit, étaient l'objet, depuis quelques mois, d'une nouvelle tentative.

Un physicien d'Oslo venait de découvrir un nouveau « rayon ». La presse avait longuement parlé de ses travaux. Sans décrire par le détail son appareil, elle avait laissé entendre qu'il était constitué par une ampoule à paroi d'or qui contenait un filament d'un métal nouveau obtenu par désintégration partielle et dirigée d'un alliage à base de cuivre. Ce filament, qui baignait dans un gaz rare ayant subi un début de désintégration, était traversé par un courant extrêmement puissant. Le savant avait constaté que son appareil émettait alors des rayons auxquels il donna le nom de sa ville natale, et qui possédaient cette particularité d'être assimilables par les organismes malades, qui y puisaient de quoi se guérir.

Il avait ainsi nourri de rayons d'Oslo divers animaux qui avaient été soumis à des contagions ou à des traumatismes.

Un cobaye, en pleine crise de peste inoculée, avait recouvré la santé en quelques heures. Les os fracturés d'une patte de vache adulte s'étaient soudés en une nuit. Le physicien avait alors tenté de plus curieuses expériences. Il avait plumé une poule vivante, et soumis le volatile au rayonnement de sa lampe. Les plumes avaient repoussé sous ses yeux pour atteindre en deux jours la taille de celles qu'il avait arrachées. Des escargots à la coquille broyée s'en étaient fait une neuve en moins d'une heure. Les plaies d'un chien dont il avait ouvert tous les muscles et le ventre s'étaient fermées et cicatrisées en quatre-vingt-dix-

sept minutes. Une douzaine de harengs avaient vécu
trois semaines hors de l'eau et augmenté de poids...
Tout se passait comme si les rayons d'Oslo mettaient à
la disposition de l'organisme une quantité considéra-
ble d'énergie que celui-ci mobilisait et employait sur
les points les plus menacés, avec d'autant plus de
rapidité que la menace s'avérait plus grave.

Quelques inconvénients, sur lesquels les articles
vulgarisateurs ne s'étaient pas étendus, avaient jusque-là empêché le savant inventeur d'appliquer à
l'homme ses rayons assimilables.

Paris, toujours à l'avant-garde du progrès et de la
science, se devait d'avoir cette audace. Les instituts
« dépiqueurs » étaient dotés d'une puissante installation électrique. Six d'entre eux furent équipés d'appareils d'Oslo. Le Grand Conseil médical décida d'y
soumettre les aliénés incurables. Il ne doutait pas que
la mystérieuse énergie n'allât dépister, au fin fond du
labyrinthe cérébral de ces malheureux, la lésion à
laquelle ils devaient leur folie, et ne la colmatât. Un
reportage radiophonique avait annoncé, à grande
sensation, le début de l'expérience, mais nul, depuis,
n'en avait plus entendu parler.

Les instituts où elle se poursuivait portaient, François s'en souvenait, les n°s 147 à 152. C'était dans le
parc de l'un d'entre eux que la caravane venait
d'entrer. Aucun bruit ne se faisait entendre à l'intérieur. L'institut paraissait abandonné. François
envoya Martin chercher le docteur Fauque. Quand les
deux hommes furent près de lui, il frappa à la porte.
Rien ne répondit. Il tourna la poignée. La porte
s'ouvrit. François entra le premier, la hache prête à
frapper. Il se trouva dans un hall circulaire peint en
blanc, meublé de deux canapés et d'une table ronde,

fixés au sol. Quatre portes donnaient sur cette entrée. Trois portaient respectivement les inscriptions : *Secré-tariat, Économat, Direction*. Les intrus ouvrirent d'abord les deux premières et se trouvèrent dans des pièces vides où régnait un léger désordre. Dans la pièce dont la porte était marquée *Direction* se trou-vaient un bureau et des fauteuils anciens et une grande bibliothèque garnie de reliures précieuses. Sur le bureau, un dossier semblait avoir été feuilleté par le directeur de l'institut juste avant son départ. Sa couverture portait ce titre : *Rapport sur les tentatives de cure de cinq mythomanes réputés incurables, par la méthode dite des rayons d'Oslo.*

Le docteur Fauque s'en empara et parcourut rapi-dement les quelques feuillets couverts des fins carac-tères du graphophone, ce merveilleux instrument qui écrivait sous la dictée.

Très intéressé par quelques lignes lues au passage, il fit signe à François de continuer sans lui sa ronde, s'assit dans un fauteuil et entreprit de lire entièrement le rapport.

Celui-ci, après avoir donné des détails précis sur les cinq malades et sur le déroulement de la cure, en arrivait à une conclusion pessimiste. Non seulement les aliénés n'avaient marqué aucune tendance à la guérison, mais ils semblaient au contraire puiser, dans l'énergie qui leur était prodiguée, un aliment nouveau pour leur folie. Cette énergie, loin de combattre le mal au sein de leur organisme, semblait se mettre à son service. Arrivé à cette conclusion, le directeur de l'Institut 149 avait cru devoir arrêter la cure. Le résultat fut catastrophique. Les malades firent des réactions extrêmement violentes, qui se traduisirent, chez trois d'entre eux, par une matérialisation de l'illusion du malade, suivie de la mort de celui-ci. Il semblait que l'énergie qu'ils avaient accumulée se libérât brusquement en prenant le canal de leur folie, et donnât alors à celle-ci une telle intensité qu'elle passait dans le domaine du réel.

A l'arrêt de la cure, le fou n° 1, qui se croyait Jeanne d'Arc, avait été frappé d'une affection qui commença comme une attaque générale d'urticaire, pour prendre très rapidement un caractère plus grave. L'inflammation se transforma en plaies profondes, analogues à celles produites par de graves brûlures. Ces plaies s'enfoncèrent, en quelques heures, jusqu'au squelette, pendant que la peau prenait une teinte noire, une apparence charbonneuse, et que la chair se décomposait et répandait une odeur atroce de porc grillé. Le visage du malade, seul épargné, exprimait une félicité parfaite, le bonheur total de l'homme qui s'identifie enfin avec son rêve. Incontestablement, cet homme était mort brûlé par une flamme intérieure, par un feu que sa volonté forcenée d'illusion avait sans doute construit avec la quantité énorme d'énergie qu'il avait emmagasinée, et qui venait tout à coup de se détendre.

Le fou n° 4 mourut en une heure, d'une hémorragie nasale que rien ne put arrêter. Ses derniers mots, prononcés avec une joie qui touchait à l'extase, furent : « Je me suis renversé ! » Celui-là se croyait chopine.

Le fou n° 5, un gringalet qui se croyait Hercule, avait marqué d'un seul coup, à la pesée, une prodigieuse augmentation de poids, bien que son volume ni son aspect n'eussent subi aucune modification. Le soir même de l'arrêt de la cure, il pulvérisa la porte de sa cellule, écrasa à coups de poing les infirmiers accourus, et s'enfuit. Le directeur de l'Institut apprit en

pleine nuit que son pensionnaire fugitif, recommen-
çant à l'envers les Travaux du demi-dieu, s'était
introduit par effraction dans une école féminine et
avait entrepris, aux dépens des pensionnaires, de
rééditer sa treizième prouesse. Personne n'avait pu
l'arrêter. Seule la fuite sauva quelques vertus. Mais la
plupart des jeunes filles furent la proie d'une sorte
d'étrange langueur qui leur ôta toute possibilité de
s'en aller. Ce fut du moins ce qu'elles déclarèrent. La
directrice de l'école, réveillée par une victime, appela
la police qui abattit le forcené sur le chemin du succès.

Le rapport remarquait que l'intrusion de la police
était regrettable et qu'il était fort dommage pour la
science que le n° 5 n'eût pas été laissé en état de
poursuivre la série de ses exploits.

Les deux autres malades avaient pu être sauvés par
la reprise immédiate de la cure de rayons. C'étaient les
nᵒˢ 2 et 3, qui se croyaient respectivement Jésus-Christ
et la Mort.

Le directeur de l'Institut poursuivait son rapport en
demandant des instructions au ministère.

« L'expérience, ajoutait-il, n'a pas été inutile. Les
résultats obtenus, s'ils sont contraires à ceux que l'on
escomptait, permettront peut-être de jeter quelque
lumière sur le cas de certains " miraculés ". Peut-être,
d'autre part, cette méthode, appliquée avec modération à des hommes sains d'esprit, permettrait-elle
d'obtenir des guérisons de malfaçons organiques, ou
des capacités de travail exceptionnelles appliquées à
une tâche précise. Cependant, ajoutait le directeur de
l'Institut 149, je me permets d'en douter, car un des
éléments de génération des " miracles " auxquels nous
avons assisté fut incontestablement la prodigieuse

obstination dans l'idée fixe des malades traités. Il est à craindre qu'aucun homme sain d'esprit ne soit capable d'une pareille fixation. »

Et il terminait :

« Depuis que les n°s 2 et 3 ont repris la cure, ils ont emmagasiné presque deux fois plus d'énergie que les n°s 1, 4 et 5. Que se passera-t-il quand nous interromprons ? Dois-je arrêter brusquement dans l'intérêt de la science et aux dépens des patients, ou essayer de sauver ces derniers en les soumettant à une sorte de désélectrification progressive ? J'attends les instructions de M. le Ministre. »

François et Martin revinrent comme le docteur Fauque achevait la lecture du passionnant rapport.

— Personne au rez-de-chaussée ni dans les étages, dit François. Tout le monde a dû partir après la catastrophe, malades, infirmiers et médecins. Mais le sous-sol est fermé par une porte blindée dont je n'ai pas trouvé la clé. Avant de décider si nous campons ici, je voudrais bien savoir ce qui se trouve sous nos pieds.

— Je crois le savoir, répondit le docteur Fauque.

Il lui résuma le rapport qu'il venait de lire et lui en mit sous les yeux les dernières pages.

— La porte blindée que vous n'avez pu ouvrir doit être celle des cellules d'Oslo. En voici sans doute les clés.

Il montrait du doigt, sur le bureau, près du graphophone, un trousseau de petites clés de nickel.

— Nous allons voir ?

— Allons-y ! acquiesça François, intéressé. Je suis curieux de voir cette installation.

Au bas d'un escalier envahi par la pénombre, luisait la masse polie de la porte du sous-sol. Ils descendirent les quelques marches. Le glissement feutré de leurs semelles souples sur le tapis de l'escalier était le seul bruit de la maison. Le docteur Fauque promena ses doigts sur la surface froide de la porte, trouva la serrure, essaya la plus grosse clé. Le docteur pesa de tout son poids sur le lourd vantail qui s'ouvrit lentement, sans bruit. Derrière, c'était l'obscurité complète. François alluma son briquet. La faible lumière se multiplia sur les parois lisses d'un couloir aux murs de métal. Dans les deux murs, dix portes étaient percées. Elles portaient chacune un numéro. Au plafond pendaient deux diffuseurs de lumière, désormais obscurs. Sur les deux portes les plus proches, qui se faisaient face, le docteur Fauque, entré le premier, lut les n°s 1 et 10.

— Voilà les fameuses cellules, dit-il.

Il avait baissé la voix. Il possédait un esprit à la fois scientifique et quelque peu sceptique qui le sous-trayait à bien des émotions. Dans ce sous-sol blindé, où cinq hommes avaient subi l'étrange traitement qui avait conduit trois d'entre eux au miracle, il se sentait pourtant étreint par un trouble peu habituel. Était-ce l'effet du silence total, de l'obscurité, ou de cette curieuse odeur de soufre et d'encens mêlés que les trois hommes avaient perçue aussitôt la porte ouverte ? Il sentait, en tout cas, la curiosité scientifique qui le poussait en avant freinée par une sorte de crainte. Son cœur battait comme le jour où, jeune interne, il avait, pour la première fois, porté l'électroscalpel dans la chair d'un malade.

Derrière lui, François et Martin, moins émus, étaient cependant impressionnés, autant par les hésita-tions du docteur que par l'ambiance particulière du lieu. Enfin le praticien se reprit, se redressa, empoigna

sa barbe de la main gauche et, de la droite, tourna la
poignée de la porte 10. Elle s'ouvrit sans peine. Les
trois hommes entrèrent. Le briquet à quintessence de
François éclaira une pièce minuscule, de forme circulaire, dont le diamètre ne dépassait certainement pas
deux mètres. Les parois et le sol étaient faits du même
métal poli. Le docteur Fauque alluma à son tour son
briquet et le leva à bout de bras. Le plafond, très haut,
se creusait en forme de miroir concave. Au foyer de ce
miroir pendait une ampoule d'or, la fameuse émettrice
des radiations assimilables.

— Cette cellule n'a jamais dû servir, dit le docteur.
Voyons celle du n° 1, l'homme qui mourut brûlé...

La porte en face s'ouvrit sans difficulté, mais
l'intérieur de la cellule offrait un aspect bien différent.
Le métal des parois et du sol avait perdu son poli. A
l'examiner de près, les trois hommes virent qu'il était
profondément rongé. Il était devenu poreux, cédait
sous la pression du doigt qui s'y enfonçait presque
d'un centimètre. Au sol, une couchette métallique,
qui coupait en deux la cellule, tomba en poussière à un
coup de pied que lui donna Martin. Le plafond
paraissait également terne, et avait dû subir la même
attaque. Seule, l'ampoule d'or luisait faiblement.

— Sortons vite de là, mes enfants, dit le docteur
Fauque. Il rôde encore dans cette pièce des radiations
dangereuses.

François referma la porte et alla droit au bout du
couloir, à la cellule 5, celle du nouvel Hercule. La
porte, quand il la toucha, faillit lui choir dessus. Elle
était à moitié arrachée de ses gonds et portait des
traces de terrible violence. L'intérieur de la cellule
offrait le même aspect que celui de la cellule 1.

Le docteur Fauque, de son côté, posa la main sur la

poignée de la cellule 2, celle de l'homme qui se croyait le Fils de Dieu. Mais la poignée résista, et la porte refusa de s'ouvrir.

— La porte est fermée, dit-il d'une voix très excitée. François, venez. Il y a peut-être quelqu'un là-dedans !

— De toute façon, il ne peut y avoir qu'un mort, répondit le jeune homme, revenu sur ses pas. Depuis le temps !... Cette maison, cent indices me l'ont prouvé, est abandonnée depuis longtemps, peut-être depuis le jour même de la catastrophe...

— Chut ! coupa brusquement le père de Colette. Écoutez !...

Les trois hommes prêtèrent l'oreille, n'entendirent d'abord rien, puis perçurent enfin comme un bruit de pluie lointaine et très douce. Mais il provenait de la cellule 5 laissée ouverte par François. Il était sans doute produit par le travail de désagrégation du métal. Derrière la porte close, la cellule 2 restait silencieuse. Le docteur Fauque, brusquement, se mit à la frapper à coups de poing.

— Y a-t-il quelqu'un là-dedans ? cria-t-il.

Rien ne lui répondit.

— Voyez plutôt si vous n'avez pas une clé qui ouvre, dit calmement François.

— Vous avez raison. Où avais-je la tête ?

La première clé qu'il essaya entra et ne voulut pas tourner. La deuxième n'entra pas. La troisième se coinça. Il ne pouvait ni la faire aller plus avant ni la retirer. Il s'énervait, menaçait de la tordre. François lui prit le trousseau des mains, parvint à sortir la clé et essaya la suivante. Elle entra, tourna. La poignée céda. François tira la porte à lui.

Le docteur Fauque ne s'était pas trompé : « Il y avait quelqu'un là-dedans ! »

Les trois hommes, le souffle coupé, regardaient l'étrange spectacle qui s'offrait à leurs yeux. Sur le sol, un homme nu était étendu, parmi les débris de sa couchette. Les plantes de ses pieds, proches de la porte, portaient chacune une plaie ronde, barbouillée de sang séché. Ses mains croisées sur son ventre portaient les mêmes stigmates. Une blessure ouvrait son flanc.

— Les plaies du Christ, souffla le docteur.

— Incroyable ! répondit François à voix basse.

Martin, bouleversé, claquait des dents. Il se signa à plusieurs reprises et s'appuya à la paroi du couloir. Il ne voulut pas entrer dans la cellule.

Le docteur Fauque, tout son calme revenu, se pencha et posa sa main sur la poitrine de l'homme. Il la trouva froide. Le cœur ne battait plus. Il souleva une paupière, approcha de la pupille la flamme de son briquet, se releva. L'homme garda un œil ouvert vers le plafond. Une très longue barbe noire pointait à son menton. Il était chauve.

— Il est incontestablement mort, dit finalement le praticien. Il a dépassé le stade de la raideur cadavérique, mais n'offre aucun symptôme de décomposition. Peut-être a-t-il été conservé par ça.

Il montrait du doigt une fine poussière grise, tombée des murs métalliques rongés jusqu'à la maçonnerie, et qui recouvrait le mort et le sol.

— Vous avez remarqué ? Il n'a pas un grain de poussière ni sur le visage ni sur ses plaies.

— Oui, c'est étrange.

— Sortons de là. Puisque nous campons ici, je reviendrai le chercher quand j'aurai dormi un peu. Je le montrerai à la lumière et je me paierai le plaisir de faire son autopsie.

Il fit passer François devant lui. Comme ils atteignaient la porte de la cellule, ils s'arrêtèrent tout à coup, les jambes molles, tous les poils dressés d'épouvante.

Derrière eux, la mort avait soupiré. Ils se retournèrent lentement. Ils avaient peur de voir.

L'homme avait ouvert son deuxième œil, s'était assis sur son séant et les regardait.

— Pourtant, dit le docteur Fauque d'une voix entrecoupée, pourtant, je ne m'étais pas trompé. Il était bien... mort !

— Depuis peut-être quinze jours qu'il est enfermé là ! acquiesça François.

La peur causée par la surprise était passée. Le plaisir de se trouver le témoin d'un événement peu ordinaire l'occupait tout entier. Ce qui se produisait devant ses yeux était logique. Il aurait dû s'y attendre, après avoir entendu le docteur lui raconter les autres cas. Le fou n° 2, soustrait brusquement à la cure par la disparition de l'électricité, avait réagi comme les autres. Il s'était créé les plaies du Christ, il s'était créé même sa mort, ou peut-être une apparence de mort, et maintenant...

Le dément lentement s'était levé, s'approchait des deux hommes. Il leva la main, il ouvrit la bouche, il parla :

— Hommes de peu de foi, dit-il d'une voix grave, pourquoi cet étonnement ? N'ai-je pas *déjà* ressuscité ?

Sa main était presque sous le nez du docteur. Dans la plaie ouverte de la paume, celui-ci vit les tendons et les os. Il poussa François dans le couloir, y sortit à son

tour. L'homme marchait sur leurs traces. Il tourna la
tête, regarda autour de lui :

— Comme il fait sombre ici, remarqua-t-il.

Puis, levant les bras, il ajouta :

— Que la lumière soit !

— Je vous demande pardon, fit remarquer François, mais vous empiétez. Ça, c'est le rôle de Dieu le
Père.

— Ne sommes-nous pas qu'un, lui et moi ? répli-
qua, d'un ton de doux reproche, le relevé.

Il tendit de nouveau ses mains trouées, et les trois
hommes, bouleversés, se trouvèrent tout à coup
inondés d'une lumière bleue comme le bleu d'un ciel
printanier, qui ne sortait de nulle part et ne laissait
subsister aucune ombre. Les parois des couloirs se
mirent à s'éloigner l'une de l'autre jusqu'à l'infini, le
sol s'enfonça, rejoignit le ciel de l'autre côté de la
terre, le plafond monta plus haut que le soleil.
L'espace avait disparu, la matière n'existait plus, les
pieds ne reposaient nulle part, l'œil ne voyait aucune
forme, la peau ne touchait rien de palpable, l'oreille
enfin entendait la musique du silence absolu, la
lumière avait pénétré et bu les chairs.

Cela dura le temps d'une seconde d'éternité. La
lumière faiblit. Les hommes sentirent de nouveau la
présence de leur corps. L'obscurité revint, tout
entière, alors que le talon du ressuscité disparaissait en
haut de la dernière marche de l'escalier.

Martin tomba à genoux et se mit à sangloter, le
visage dans les mains, bouleversé du regret de la
félicité perdue.

François se sentait comme exilé. A mesure que les
fragments de seconde passaient, il perdait le souvenir
précis de l'illumination, comme celui d'un rêve dont

on sent, au réveil, la présence rayonnante derrière la
porte refermée de la conscience. Mais il lui en restait la
nostalgie. Elle suffisait à l'emplir de la conviction qu'il
était lourd, imparfait, bête, maladroit, grossier, malo-
dorant. Il était certain qu'il ne pourrait plus avoir,
dans la vie, d'autre but que d'essayer de retrouver ce
monde de lumière qu'il venait de traverser. Mais où ?
mais comment ? Ses pieds étaient soudés au sol.

— Je pèse une tonne, dit-il.

Et sa voix grinça à ses oreilles comme celle d'un
crapaud. Si pesantes que fussent ses pensées, elles le
conduisirent cependant à l'idée qu'il existait peut-être
un chemin. Il s'était déjà trouvé sur la voie de la
lumière. Il en avait eu la prescience. Il avait approché,
avant ce jour, du pays de toute gloire. Et le visage de
Blanche apparut à l'intérieur de sa mémoire. Le bleu
de ses yeux était celui-là même de la clarté miraculeuse. Une onde de bonheur gonfla son cœur. Il savait
où trouver son paradis.

— Eh bien, mes enfants, qu'est-ce que vous en
dites ? fit la voix émerveillée du docteur Fauque. Vous
rendez-vous compte de l'énergie fabuleuse dont cet
être-là dispose ? Dès qu'il l'aura dissipée, il tombera
mort, cette fois réellement. Mais je voudrais bien
savoir jusqu'où elle va le mener. Nous allons jeter un
coup d'œil rapide sur la cellule 3 et je vais courir après
ce sacré faux fils de Dieu...

Il exultait. Son esprit critique l'avait immédiatement ramené au pays des réalités. Il ne voyait dans
l'aventure que des échanges de forces, des manifestations extraordinaires, mais qui pouvaient être sou-
mises à l'examen de la raison, d'une nouvelle forme
d'énergie.

Il avait déjà essayé deux clés à la porte 3. François se précipita et lui prit la main.

— Docteur, réfléchissez avant d'ouvrir. Ce que nous venons de subir nous montre que des forces dangereuses jouent ici. Qu'allons-nous trouver dans la cellule de celui qui se croyait la Mort ?

— Bah ! Je ne crains rien. L'aventure est trop belle pour que je ne la pousse pas jusqu'au bout. Il ne sera pas dit que j'aurai eu peur, alors que l'occasion m'en était offerte, de regarder la Mort en face !

François, lui-même en proie à une intense curiosité, n'insista pas. Tout en parlant, le docteur continuait d'essayer ses clés. Il se trompait, reprenait les mêmes. François s'éloigna d'un pas, prit par les épaules Martin toujours sanglotant, mais qui semblait se calmer un peu, et le releva. Le docteur Fauque levait son briquet, ouvrait la porte.

Un froid atroce envahit d'un seul coup le couloir. Les deux hommes voient le docteur reculer, tourner vers eux son visage convulsé d'horreur, ses yeux presque arrachés des orbites par l'épouvante regardant par l'entrebâillement de la porte ce qu'ils ne peuvent voir et qui doit être l'Abominable... Le froid leur a déjà gelé tous les muscles superficiels. Ils ont la peau dure comme de la glace. Ils ne peuvent plus bouger. Le froid s'enfonce en eux, atteint les côtes, les poumons. Le docteur tombe contre la porte. La porte se referme en claquant.

Le froid disparaît. A-t-il seulement fait froid ? François sent ses épaules un peu raides, et sa peau sensible au toucher comme après un coup de soleil. Mais le docteur Fauque ne se relève pas. François le ramasse, l'emporte, remonte l'escalier en courant, suivi de Martin, couche le docteur sur le sol, à la

lumière. Le visage du docteur garde la marque d'une
abominable stupeur. Son cœur ne bat plus. Il est
mort, et déjà froid, atrocement froid, comme une
pièce de viande sortie de la glacière.

François se redresse. Une idée lui est venue, une
idée folle. Mais ne sont-ils pas en pleine folie depuis
qu'ils ont franchi la porte blindée ?

Il prend de nouveau dans ses bras le cadavre, et le
voilà qui se met à suivre des traces de pieds sanglants.
Il va retrouver le faux Christ, il va lui demander de
relever ce mort de parmi les morts, il va lui demander
ce miracle.

Les pas tragiques le conduisent à une porte qui
s'ouvre derrière la maison. Ils se continuent au-
dehors. Partout où les pieds se sont posés, l'herbe
tordue et jaunie par la sécheresse s'est relevée, a verdi,
s'est peuplée de fleurs et de papillons. François voit
dans le parc, à deux cents mètres, la silhouette blanche
qui se promène parmi les arbres. Il court. Il serre
contre lui le cadavre qui lui gèle la poitrine. Martin le
suit, essoufflé par l'émotion. Ils arrivent devant
l'homme. Sans mot dire, François met un genou à
terre, pose dans l'herbe le corps du docteur.

L'homme tourne vers eux un visage baigné de
sérénité. Une colombe s'est posée sur son épaule
gauche. Un enfant moineau accroché des deux pattes à
sa barbe pépie et bat de ses petites ailes.

Des geais, des merles, des rossignols, des fauvettes,
des moineaux, des hochequeues, des corbeaux, des
rouges-gorges, des pies, des chardonnerets, et même
des chouettes et des hiboux tournent autour de lui, et
chacun pousse son cri de joie. Il voit les deux jeunes
hommes agenouillés à ses pieds, près de ce mort. Il
comprend. N'a-t-il pas *déjà* ressuscité Lazare ? Il

sourit. Il est heureux de faire un miracle. Il esquisse un geste. Il va lever la main, l'étendre vers le corps du malheureux.

Martin se bouche les yeux. François voudrait ouvrir les siens encore plus grands. Il entend ses tempes ronfler, son cœur galoper...

Comme il levait la main, l'homme fit une grimace. Lever la main, c'est une chose difficile. Il y faut énormément de force.

Il n'en aurait jamais assez. Il ne lui en restait plus du tout. Sa main, à peine soulevée, retomba près de sa cuisse. Ses jambes mollirent. Il s'écroula sur l'herbe. Les oiseaux regagnèrent les hautes branches.

François bondit par-dessus le corps du docteur, se pencha vers l'insensé, voulut le secouer. Ses mains s'enfoncèrent dans la charogne. La puanteur le fit reculer. Déjà la chair gluante quittait les os, coulait vers la terre. La peau du crâne se fendit et glissa. Les os des orteils pointaient vers les feuillages.

Du haut des arbres, trois corbeaux redescendirent.

Narcisse, qui gardait la caravane, commençait à s'inquiéter. Il allait partir à son tour vers la maison au milieu du parc, quand François déboucha d'une allée qui s'enfonçait entre les arbres. Il arrivait lentement. Il portait sur une épaule le docteur Fauque mort, et sur l'autre, Martin évanoui.

Colette se jeta en sanglotant sur le corps de son père. François raconta succinctement ce qui s'était passé. Martin, revenu à lui, confirma ses dires. Il s'était évanoui lorsqu'il avait vu le fou fondre en pourriture. Il était encore bouleversé.

Aussitôt les derniers devoirs rendus au docteur, la caravane repartit et s'installa pour camper sous un bouquet d'arbres auxquels la canicule avait laissé quelques feuilles. Le soir, elle reprit sa route vers le Sud. Il lui fallut couvrir encore deux étapes avant qu'elle pût avancer de quelques mètres sans trouver un mort sous ses roues.

La première étape de brousse fut franchie sans incident. Au jour levé, Pierrot ayant terminé ses deux heures d'avant-garde, François confia le tour suivant à Léger, qu'il n'eût pas voulu charger de cette tâche en pleine nuit. L'avocat était en effet un peu myope, et se montrait très naïf dans ses rapports avec le monde réel, bien qu'il fût d'une intelligence vive et d'une culture étendue. Il monta à son tour sur le cheval d'un des gardes. La bête paisible, à laquelle il se cramponnait de son mieux, emporta dans le petit jour sa haute et maigre silhouette. Il précédait la caravane sur une ancienne route envahie par l'herbe folle, où les vélos et les remorques pouvaient encore rouler sans trop de mal.

Après une heure de marche, ses camarades virent l'avocat revenir au galop. Arrivé à leur hauteur, il tira trop fort sur les rênes pour arrêter le cheval, qui se cabra. Léger roula à terre et sa monture faillit lui tomber dessus. Déjà le cavalier improvisé se relevait en se frottant les côtes. Son long visage blanc, encore allongé par une barbe filasse de trois semaines, reflétait une excitation anormale. Il agitait ses grands bras. Il n'arrivait pas à dire exactement ce qu'il avait vu :

« Des arbres extraordinaires, sans tronc, régulièrement disposés dans une plaine nue, et, autour d'un de ces arbres, d'étranges oiseaux, des sortes de moineaux énormes qui grattaient des pattes et piquaient du bec. »

Il se calma enfin et prit un ton d'avocat d'affaires qui expose à un client l'état d'un procès :

— La régularité d'espacement de ces végétaux m'a induit à penser que la main de l'homme n'était pas étrangère à leur disposition. De même, la plaine n'offre pas l'aspect désordonné des lieux inhabités. J'ai pensé, dit-il à François, qu'il conviendrait que vous vinssiez jeter un coup d'œil sur ces lieux avant que la caravane les traversât.

François suivit l'avocat pendant cinq cents mètres. A un tournant de la route, il aperçut à son tour le spectacle qui avait provoqué le retour de l'avocat, et il se mit à rire comme il ne l'avait plus fait depuis longtemps.

— Savez-vous ce que sont vos fameux arbres, mon cher maître ?

— Non, fit Léger, un peu vexé.

— Ce sont des meules de blé ! Et vos moineaux, vos gros moineaux… ce sont des poules.

— Des poules ? Ah ! par exemple ! J'aimerais les voir de plus près. N'est-ce pas là cet animal que le roi Henri IV voulait que chaque Français mît dans un pot chaque dimanche ?

— Justement.

— Drôle d'idée ! murmura l'avocat.

François voulait absolument éviter un conflit avec des paysans. Il savait que ceux-ci, leurs tracteurs immobilisés, risqueraient beaucoup pour s'emparer des chevaux de la caravane. Il fallait donc s'éloigner de la ferme dont ce champ de blé dénonçait l'existence. Mais les poules faisaient grande envie au jeune homme. Il décida de tenter l'aventure. De toute façon, les bâtiments de la ferme devaient être assez éloignés, puisqu'il ne les apercevait nulle part. Il se tailla une trique à un arbre voisin et, bâton en main, s'approcha doucement de la meule autour de laquelle la gent caquetante picorait. Il tomba comme l'ouragan au milieu des volatiles et en assomma six pendant que les autres s'enfuyaient à grand vacarme.

Il attacha les six victimes par le cou au bout de son bâton et revint en courant, tout joyeux de sa chasse.

Une heure après, la caravane, qui avait bifurqué,

s'arrêtait près des bâtiments d'une ferme depuis longtemps abandonnée.

— Je vais éclaircir pour vous le mystère de la poule au pot, dit François à Léger, après avoir inspecté les lieux.

Il dénicha une immense marmite qui avait servi à faire cuire les pommes de terre pour les porcs. Il la fit nettoyer, pendant que Blanche trouvait, dans l'enceinte de ce qui avait été le jardin, des légumes retournés à l'état sauvage, et à demi desséchés par le soleil, mais qui suffiraient, faute de mieux, à donner du goût au bouillon.

— En somme, demanda Mme Durillot, qui avait d'abord regardé avec une vive méfiance ces bêtes à plumes que François prétendait leur faire manger, en somme, vous faites cuire ça comme le « pot-au-feu familial » que fabriquait l'usine du boulevard Saint-Jacques, près de chez nous ?

— Exactement !

— Eh bien, je m'en charge, fit la jeune femme, qui ajouta, avec un orgueil de bonne ménagère : C'était ma spécialité à la maison. Pierrot s'en léchait les doigts.

Elle s'activait, heureuse de prouver ses qualités de maîtresse de maison.

François avait décidé de faire là une halte de deux jours. Il posta des sentinelles, prit un petit rouleau de fil de laiton et une pince qu'il avait eu la précaution d'emporter de Paris, et s'éloigna du camp. Il voulait poser des collets, pour améliorer l'ordinaire du lendemain. Blanche l'accompagna.

Ils furent peut-être plus longtemps absents que ne le nécessitait la pose de quelques lacets. Quand ils revinrent, le premier souci de François fut pour ses poules au pot. Colette et Mme Durillot entretenaient le feu sous la marmite. De petits jets de vapeur fusaient sous le couvercle. Mais cette vapeur ne sentait pas très bon. François regarda Mme Durillot d'un air inquiet. La jeune femme ne semblait pas rassurée. Elle haussa à la fois les épaules et les sourcils.

— J'ai fait de mon mieux, dit-elle, mais j'avoue que ça n'a pas l'air très réussi. Quelle drôle d'idée, aussi, de vouloir manger des bêtes pareilles…

François fit glisser le couvercle. Une exclamation horrifiée lui échappa.

Parmi les glouglous d'un bouillon verdâtre, flottaient les cadavres hérissés des poules, que Mme Durillot avait mises à cuire sans les vider ni les plumer.

TROISIÈME PARTIE

Le chemin de cendres

Le surlendemain, avant de donner l'ordre de départ pour une nouvelle étape, François voulut dire un dernier adieu à la ville.

Il escalada une colline proche, et grimpa à la cime d'un chêne qui la couronnait.

Il resta de longues minutes en observation. Quand il revint au camp, il avait le front soucieux. Il réunit la bande dans l'ancienne cour de la ferme.

— Mes amis, dit-il, je vins de jeter un dernier coup d'œil sur Paris. Nous l'avons quitté à temps. Paris brûle entièrement. Un nouvel incendie a dû se déclarer quelque part dans le sud de la ville. J'en apercevais, de mon observatoire, les flammes et la fumée gigantesques.

« D'autres incendies brûlent également sur toutes les autostrades que l'on voit de la colline, et dans les

villes qui les entourent. Les autos bourrées de quintessence, la chaleur torride qui nous accable sont sans
doute à l'origine de ces embrasements. Si ce temps
continue, le feu va tout dévorer. Il courra le long des
routes, détruira d'abord les villes, puis gagnera l'herbe
de la brousse, l'herbe si sèche qu'elle flambera à la
moindre étincelle. Le feu ne s'arrêtera qu'à la limite
des champs dénudés par la charrue, partout où il s'en
trouve encore. C'est un déluge de feu qui, cette fois,
s'étend sur le monde.

« Le seul moyen d'échapper au feu est de gagner, au
plus vite, un cours d'eau assez important. Pas assez
cependant, pour qu'il ait pu être rendu navigable, car
les cours d'eau navigables sont gainés de cités qui vont
flamber au grand soleil.

« Il n'y a pas de temps à perdre. Le jour approche
de sa fin. Préparez tout pour le départ. Nous partirons
dans une heure. »

Chacun s'affaira sans un mot. La gaieté qui régnait
quelques instants plus tôt dans le camp s'était éteinte
sous la douche de la dure nouvelle.

Isolés, ces hommes se seraient abandonnés au
découragement et à la peur. Groupés, chacun compta
sur les bras de tous et se sentit prêt à se battre de
nouveau pour ses compagnons. Ils ne doutaient pas de
sortir vivants de la lutte qu'ils allaient entamer.

Une course effrayante commença. Le vent s'était
arrêté, comme épuisé, mais l'ardeur du soleil augmentait chaque jour. Toute la végétation crevait. Les
arbres perdaient leurs feuilles racornies. Des flammes
naissaient partout, et, crépitantes, agrandissaient leur
ronde au galop. Les nuits n'étaient plus noires, mais
rouges.

Des incendies dévoraient le ciel aux quatre coins de

l'horizon. François ne prononçait plus un mot qui ne fût un ordre précis. Il montait le plus nerveux des cinq chevaux. Les autres tiraient les remorques et portaient les femmes. Le jeune chef passait ses nuits en galops successifs, pour chercher des passages libres, pour trouver, dans ces murs de flammes, la fissure, la lézarde sombre vers laquelle diriger ses compagnons. Vingt fois par nuit, il fallait dételer les remorques, les empoigner à bras pour franchir des taillis, des étendues hérissées de ronces à travers lesquelles la caravane progressait à une allure de chenille. Quelque incendie plus ou moins proche éclairait toujours assez pour permettre d'éviter les gros obstacles.

Les hommes étaient exténués. François était devenu maigre et dur comme un tronc de vigne. Au matin, l'étape achevée, quand il avait enfin trouvé un lieu de campement, donné les dernières consignes aux sentinelles, il s'écroulait dans un sommeil de pierre. Blanche se penchait alors sur son visage tendu, envahi d'une barbe grise de poussière. Elle essuyait son front, embrassait ses yeux qui ne cillaient pas, s'étendait près de lui, prenait sa main dure entre les siennes et, confiante, s'endormait. Quand, parti au-devant de tous, il restait trop longtemps sans revenir, elle sentait, à mesure que passaient les minutes, croître en son cœur une angoisse à laquelle elle mesurait son amour. A peine était-il revenu, pendant qu'il donnait les indications de route, elle se reprochait son inquiétude. Elle le regardait se découper, centaure noir, sur le ciel rouge, et ne doutait plus qu'il ne les conduisît au port. Lui semblait ne plus faire attention à elle. Une volonté d'acier, une clairvoyance exaspérée lui étaient venues devant le danger. La mort flambait partout. Il devait lui faire échec.

Un matin, le camp avait été dressé dans un bouquet
d'arbres, près d'une rivière pas très large, mais
profonde de plusieurs mètres. Au début de l'après-
midi, le garde national dont c'était le tour de veille
s'endormit, et ce fut le crépitement de l'incendie qui
réveilla François. Le feu accourait de l'amont, sur les
deux rives à la fois. François secoua la sentinelle
endormie, lui montra d'un geste les flammes, et
l'abattit d'un coup de hache. Puis il se mit à crier,
d'une voix qui fit sauter sur leurs pieds tous les
dormeurs. Les bagages, les véhicules, les chevaux
étaient toujours prêts. Moins d'une minute après
l'alerte, la caravane détalait sur la route qui longeait la
rivière.

Elle parcourut plusieurs kilomètres aussi rapidement que le permettait l'état du chemin. Il fallait
courir plus vite que les flammes. La route gravissait
tout droit une éminence que la rivière contournait.
Quand les fugitifs furent au sommet, ils aperçurent,
droit devant eux, un horizon de feu. A gauche comme
à droite, l'incendie devant lequel ils fuyaient rejoignait
celui qui embrasait tout l'aval. Ils se trouvaient au
centre d'un cercle de flammes.

François se dressa sur ses étriers. Il cherchait avec
désespoir une issue. Mais chacun, du haut de la
colline, pouvait voir aussi clairement que lui qu'il
n'existait aucun hiatus dans la chaîne de feu fermée
autour de la caravane. Maintenant, c'était bien fini.
Ceux qui savaient nager, peut-être, pourraient tenter
de se sauver par la rivière. Mais les autres ? L'enfer
accourait vers eux.

Teste éclata en sanglots, et se jeta, comme un enfant
perdu, dans les bras de Colette. Narcisse se mit à jurer
dans toutes les langues de Montparnasse. Il décrocha

le sabre pendu à son vélo, le brandit, fendit l'air de grands moulinets. Il hurlait :

— Qui veut en finir tout de suite ? Qui préfère avoir la tripe ouverte ? Allez, allez, chacun son tour !...

Il insultait le feu, la nature, l'univers.

Mme Durillot, effondrée sur le cou de son cheval, gémissait de plus en plus fort, en route pour la crise de nerfs :

— Mon petit, mon bébé, mon enfant, mon chéri, mon petit...

François sauta de son cheval.

— Fais taire ta femme ! cria-t-il à Pierrot.

Lui-même s'élança vers Narcisse qui continuait à gesticuler, à demi fou de rage impuissante. Il lui arracha son arme, le frappa de la garde du sabre à l'estomac et l'envoya rouler à terre, le souffle coupé.

Le jeune chef se mit aussitôt à crier des ordres et fit attaquer à la hache deux peupliers de bonne grosseur.

— Le feu sera sur nous dans une demi-heure. Dans dix minutes, les deux arbres doivent être en bas !

Avant ce délai, ils s'abattaient dans un grand fracas de branches froissées. Narcisse vint, honteux, joindre ses efforts à ceux de ses compagnons.

Chassés de toutes parts par le feu, les bêtes de la brousse arrivaient. Les hommes recevaient au visage des vols de perdrix. L'herbe grouillait de dos fauves. Lapins, lièvres, blaireaux, renards, serpents, crapauds, écureuils, rats fuyaient devant les pas ou roulaient sous les semelles. Quelques poules, un mouton témoignaient que le feu avait, quelque part, anéanti une ferme. Léger se mit à fuir devant une chèvre, énervée, qui le chargeait tête basse.

Pierrot lui fit honte :

— Donnez-lui un coup de pied ! C'est pas méchant, vous voyez bien que c'est un petit âne !

L'avocat, rassuré, reprit son travail côte à côte avec un loup maigre, harassé, venu de quelque bout du monde et qu'il prenait pour un chien.

Débarrassés de leurs branches, les deux arbres furent poussés en bas de la colline jusqu'à la berge. Chaque bicyclette, couchée à plat, fut attachée par sa fourche avant à l'un des troncs, par sa fourche arrière à l'autre. L'ensemble constitua un radeau un peu lourd, sur lequel hommes et femmes se hâtèrent d'assujettir les marchandises les plus précieuses. Des nuages d'insectes arrivaient de tous les horizons. Tous les oiseaux à vol bas qui n'avaient pu franchir la barrière des flammes s'abattaient sur la berge. Leur nombre croissant dénonçait l'approche du fléau.

L'air devenait suffocant, envahi par une cendre brûlante qui collait aux narines. Le feu apparut au sommet de la colline. Les bêtes poussèrent leurs cris de détresse. Les chevaux, affolés par ce concert de désespoir, pointaient les oreilles, dansaient sur place.

— Prenez vos chevaux en main ! cria François aux gardes.

L'un d'eux se mit à ruer des quatre fers, atteignit Léger en plein visage, lui mit toute la cervelle hors du crâne, s'emballa, emporta le garde accroché à sa bride, s'éventra sur une souche, et retomba sur l'homme, à la limite des flammes. Un arbre flambant s'abattit sur eux. Les flammes dévoraient la pente. Tout le monde s'arc-bouta sur le radeau. Il chut à la rivière dans un grand éclaboussement.

Le loup sauta le premier, se prit une patte dans les rayons, se rétablit, s'assit sur son derrière, les oreilles couchées, les dents découvertes. Tous les survivants de la caravane se jetèrent à l'eau et s'accrochèrent au radeau. Les gardes poussèrent leurs chevaux dans le courant tiède. Une pluie de bêtes les suivit. Sur les deux berges, les arbres brûlaient.

Lentement, porté par le courant, guidé par François à l'avant et Pierrot à l'arrière, le radeau se mit en mouvement. Hommes et femmes enfonçaient leurs visages dans l'eau, ne le sortaient que pour reprendre souffle. Des branches en feu, des fusées d'étincelles, des vagues de flammes s'abattaient jusqu'au milieu de la rivière. Des boules incandescentes s'enfonçaient dans l'eau en sifflant : c'étaient des cailles rôties.

La rivière s'enfonçait au cœur du brasier. Les troncs d'arbres craquaient dans le feu comme des os sous la dent d'un chien. L'eau, de tiède, devenait chaude. Des débris charbonneux de toutes sortes en couvraient la surface comme une croûte. Les têtes hérissées des sangliers et les museaux pointus des petits animaux y traçaient des chemins aussitôt rebouchés. Le radeau croisa la tête d'un cerf qui remontait le courant, une branche flambant accrochée dans ses bois.

Si lentement que glissât le vaisseau au fil du courant, il sortit cependant du gros de l'incendie. Il défila dans une forêt de troncs rouges que les flammes avaient déjà quittés. La chaleur qui s'en dégageait faisait fumer la rivière. Les fugitifs étouffaient dans l'eau chaude. Ils étouffaient presque autant quand ils respiraient l'air saturé de vapeur et de cendres. Parfois un tronc craquait, ouvrait en deux, de bas en haut, son cœur incarnat, et s'écroulait à la rivière dans un linceul de vapeur.

Puis la chaleur se fit moins féroce. Aux arbres rouges succédèrent des arbres noirs. Il fut enfin possible de garder la tête hors de l'eau. Martin rattrapa par les cheveux Teste qui sombrait. Il le hissa sur le radeau, y monta à son tour. Chacun l'imita.

Le loup, une oreille racornie, la moustache brûlée, la queue charbonneuse, avait perdu toute agressivité. Comme le radeau se rapprochait du bord pour franchir un virage, il en profita pour sauter sur la berge. A peine atterri, il se mit à hurler, bondit en secouant ses pattes, hurla de plus belle quand il retoucha terre, fit encore deux ou trois sauts au milieu d'un nuage de cendres, tomba, se tordit, gémit et se tut. Sur le sol, son corps grésillait.

Il fallut se laisser emporter pendant plus de deux heures encore avant de pouvoir aborder. Enfin le radeau toucha une terre refroidie et fut amarré à une souche. Après un repas rapidement pris, les rescapés s'abandonnèrent à la fatigue et s'endormirent sur place, alors que la nuit tombait.

Le lendemain, les fugitifs, reposés, regardèrent autour d'eux avec des yeux que ne brouillait plus l'épouvante. Ils avaient abordé dans un pays de cendres. Très loin, au nord, s'éloignait la fumée de l'incendie. Vers le sud, vers l'ouest, vers l'est, aussi loin que le regard s'étendît, il ne percevait pas une trace de vie végétale. Une odeur de terre cuite montait du sol. Une couche légère de cendres le couvrait uniformément. Les caprices de l'air, le moindre pas la soulevaient en nuages. Les moignons noirs des arbres traçaient sur ce désert des signes tordus.

Puisqu'il était impossible de trouver en ces lieux un abri contre le soleil, François décida de faire reprendre aussitôt le voyage, par voie d'eau, jusqu'à la nuit. Chacun s'installa aussi confortablement que possible sur le radeau. La lente navigation recommença.

Bientôt l'ardeur du soleil devint insupportable. Il fallait s'arroser d'eau sans cesse, ou se plonger dans la rivière.

Sur les berges se poursuivait le défilé de ce pays de silence, noir et blanc, sec, immobile, sans un brin d'herbe, sans un souffle animal, sans un vol d'insecte.

Vers midi, la vitesse du courant s'accéléra, en même temps que la profondeur de la rivière diminuait. Bientôt les chevaux eurent pied. Le courant se brisait sur leur croupe. Le radeau prit une vitesse dangereuse. François sauta à l'eau, suivi des autres hommes. Ils s'accrochèrent à la corde d'amarrage, tentèrent de rapprocher le radeau de la berge, mais le courant, qui filait maintenant à une allure de rapide, les roula à la suite du lourd vaisseau. Les femmes affolées sautèrent à leur tour dans l'eau. Pierrot lâcha la corde pour rattraper sa femme qui se noyait. Blanche et Colette parvinrent à s'accrocher à un rocher vert de vase que la baisse de la rivière découvrait au milieu de son lit. Les hommes durent tout lâcher pour songer à leur propre sauvetage. L'eau se précipitait avec furie vers une chute proche dont ils entendaient le bruit de tonnerre. Le radeau fila comme une flèche. Son arrière se dressa vers le ciel, et il disparut.

Pendant que ses compagnons regagnaient la berge, François sauta sur son cheval, le fit sortir de l'eau, et partit au galop dans la direction vers laquelle le radeau avait été entraîné. Il espérait le rattraper après la chute, dans le courant redevenu calme.

Il était surpris. Il ne pensait pas qu'il existât une semblable chute de rivière dans cette région de la France. Quand il parvint à sa hauteur, il eut l'explication du phénomène.

La sécheresse et l'incendie, ou peut-être quelque autre cataclysme, avaient fait craquer la terre et ouvert une crevasse de plusieurs mètres de largeur dans le sol calciné. Elle prolongeait son entaille vers les deux côtés de l'horizon. La rivière tombait dans ce gouffre avec un grondement terrible. Le sol tremblait sous les pieds. Des nuages d'eau pulvérisée montaient des lèvres de l'abîme.

Rejoint par ses compagnons, François leur montra le radeau, coincé entre les deux parois de la fissure, à quelque dix mètres de profondeur. L'eau se brisait sur lui et arrachait peu à peu tout ce qui s'y trouvait attaché.

— Nous allons essayer quand même de sauver quelque chose, décida le jeune homme. Mais il n'y a pas une seconde à perdre.

Il fit déshabiller tous les hommes, déchirer en deux leurs combinaisons, attacher bout à bout les fragments de vêtements ainsi obtenus. Il fixa l'extrémité de cette corde improvisée à une souche sur le bord de la crevasse et se laissa glisser. Il parvint à la hauteur du radeau, se balança et prit pied sur lui. Il reçut sur les épaules le choc énorme de l'eau. Il suffoquait. Il se hâta, arrima un gros colis à la corde, coupa les liens qui le fixaient au radeau et le fit hisser. Quand la corde lui fut renvoyée, il prit le même chemin. Il n'en pouvait plus. Il était brisé. Cent cloches sonnaient dans sa tête. Les muscles de ses épaules et de sa poitrine lui semblaient écrasés. L'eau lui avait arraché ses sous-vêtements. Il surgit ruisselant et nu de l'abîme. Il s'allongea sur le sol, il se retenait pour ne pas crier de douleur. Il fit signe à Martin :

— A toi maintenant. Sauve ce que tu peux.

Martin empoigna la corde, atteignit le radeau et se mit en devoir de faire remonter un vélo. L'eau se brisait sur son large dos. Ses compagnons le regardaient, supputaient sa peine. Narcisse se préparait à plonger à son tour. Teste se détourna un instant, se mit tout à coup à hurler. Le courant apportait, à pleine vitesse, un énorme tronc à demi brûlé, qui devait peser plusieurs tonnes. Hommes et femmes crièrent tous ensemble. Martin, dans le vacarme de la cataracte, les entendit, aperçut à travers l'eau pulvérisée leurs gestes tragiques. Il tendit la main vers la corde. Le tronc noir et brun franchit le bord de la crevasse, bascula, s'abattit sur lui, le broya, fracassa le radeau, disparut avec les débris dans les profondeurs du gouffre. Rien ne brisait plus la courbe de l'eau.

Courbés par l'horreur et la surprise, les témoins du drame rapide gardaient les yeux fixés vers le fond du gouffre où venait de disparaître le petit boulanger. Colette éclata en sanglots.

— Mes amis, dit François, il ne faut plus penser à lui. Nous l'aimions tous bien. C'était un gentil compagnon. Je ne vous demande pas d'oublier nos morts, mais de penser d'abord à vous et à vos camarades vivants. Nous reprendrons le souvenir de ceux tombés en cours de route quand nous aurons atteint le but. Il faut que nous trouvions avant la nuit un passage sur cette crevasse. Elle nous barre le chemin du Sud. Nous devons la franchir ou en trouver le bout.

Il fit faire l'inventaire du colis qu'il avait remonté. Il contenait des conserves, des outils, des bandages de vélos, et divers objets désormais inutiles.

La corde de vêtements avait été rompue et emportée avec le radeau.

Pour arrimer sur le dos des chevaux les ballots de conserves, François demanda les caleçons des hommes. Il leur fit garder leurs chemises qui leur protégeaient la poitrine, le ventre et le dos contre le soleil.

Lui-même vida un sac de conserves, fit trois trous au fond, y passa sa tête et ses bras. Cela lui composa un pagne qui lui arrivait à mi-cuisses.

Les trois femmes prirent place chacune sur une selle. Les hommes devaient se relayer sur la quatrième. Et la caravane repartit, cette fois dans la direction de l'Est.

Elle avançait dans un nuage de cendres. Chacun tenait un lambeau d'étoffe sous ses narines pour éviter de respirer la fine poussière. La chaleur était atroce. Le groupe gris, minuscule dans l'immensité de la brousse incinérée, suivait le chemin noir de la crevasse. De l'autre côté de celle-ci courait la lisière de ce qui avait dû être une haute forêt.

Les fûts des arbres dévorés par le feu s'élançaient, noirs, innombrables, vers le ciel d'un bleu pétrifié.

Après un peu plus d'une heure de trajet, les fugitifs se trouvèrent enfin devant un étranglement de la crevasse. Ses deux bords se rapprochaient en cet endroit jusqu'à moins d'un mètre de largeur. Hommes et chevaux franchirent facilement ce passage.

Sur la recommandation de François, ses compagnons avaient beaucoup bu avant de partir, bu plus qu'à leur soif, mais déjà ils commençaient à sentir dans leurs palais le regret de l'eau tiède.

Ils ne perdirent pas une minute et repartirent droit vers le Sud. Le soleil permettait de s'orienter sans peine. En reprenant la direction abandonnée par la rivière interrompue, François espérait couper le lit d'un de ses affluents. Y parvenir rapidement, c'était le seul espoir.

Après quelques pas, ils pénétraient entre les premiers arbres de la forêt morte.

Avant le passage du feu, s'élevait en cet endroit une forêt dont le feuillage tendait un plafond entre le ciel et la terre. Dans cette épaisseur de vie verte, portée à bout de branches par cent millions d'arbres hercules, des peuples d'oiseaux voletaient, chahutaient, poussaient leurs chants de toutes couleurs. Des écureuils grignotaient des fruits minuscules. Les fourmis, caravanes d'esclaves noires, franchissaient les monts et précipices des écorces et portaient vers les cavernes de la tribu les fardeaux des trésors ravis à tout ce qui vit, mange et peut être mangé.

Au sol grouillaient les animaux rampants, coureurs, furtifs, et les champignons poussaient leur vie hâtive entre les lits de feuilles mortes. Des sangliers mal endormis grognaient en rond dans les buissons. Des biches goûtaient les rameaux nouveaux.

La voûte splendide avait dissipé dans le ciel tout le sang de la forêt, toute l'eau qui se condensait, très haut, en troupeaux de moutons blancs, en écharpes roses, aussitôt absorbés par l'azur. Vint le moment où la terre, que la pluie n'arrosait plus, n'eut plus de sève à donner aux feuilles. Celles-ci, toutes à la fois, se

tordirent sur leur queue et laissèrent entrer le soleil.
Au pied des arbres, la mousse devint râpeuse et se
brisa sous le pas des daims essoufflés. Les feuilles
tordues tombèrent sur le sol avec un bruit de vieux
papier.

Le feu atteignit la forêt, la flamba d'un seul coup.
Les oiseaux, les mammifères, les reptiles, les batra-
ciens, les insectes, les invisibles alimentèrent le brasier
de la multitude de leurs petites âmes dorées. La pointe
de la flamme perça le bleu du ciel, troubla la nuit
éternelle d'un reflet.

Sept hommes, trois femmes, quatre chevaux pénétrèrent dans le cadavre de la forêt. Cent millions de
troncs perçaient la couche de cendres, dressaient leurs
colonnes de marbre noir. La caravane minuscule se
fraya un chemin entre eux. Elle laissait derrière elle un
nuage en forme de serpent.

Les hommes enfonçaient dans la cendre jusqu'aux
genoux. Chaque pas la soulevait en gerbe. Les sabots
des chevaux la projetaient en avant. Elle enveloppait la
caravane d'un coton. Les lambeaux d'étoffe pressés
sur les narines arrêtaient le plus gros de la poussière.
Mais les chevaux ne cessaient d'éternuer et de renâ-
cler.

Nul n'osait parler de sa soif. La salive mêlée de
cendres craquait sous les dents.

Ils marchèrent pendant des heures. Ils secouaient
de temps en temps la couche grise qui les couvrait. Ils
marchaient droit vers le Sud. Ils ne savaient ce qui les
torturait le plus, de leur chair cuite, de leurs pieds
saignants, de leur palais sec, de leurs yeux écorchés.

Parfois, le hasard avait semé les arbres en lignes
parallèles et le regard s'enfonçait entre deux rangées
infinies de colonnes de désespoir.

Les chevaux donnaient des signes de fatigue. Le premier s'abattit à la quatrième heure. Blanche, qui le montait, roula en boule dans la cendre. La chute du cheval et de sa cavalière souleva une explosion de poussière. François releva la jeune fille, la serra doucement contre lui, pour qu'elle sentît sa force et fût réconfortée. L'air blanc tournait autour d'eux en lente ronde. François essuya de ses doigts la boue qui couvrait le visage de Blanche et l'embrassa. Elle sentait la sueur et le charbon. Des larmes lavaient ses joues.

— Courage, ma Blanchette, nous en sortirons, je te le promets. Mais il faut garder confiance, et sourire...

Elle leva les yeux vers lui. Une barbe en buisson cachait son cou, ses joues et sa bouche. Un mastic de cendre en raidissait les mèches. Des morceaux de charbon y restaient collés. Une croûte de crasse couvrait son front. Mais ses yeux brillaient du même éclat de vie qu'elle leur avait toujours connu. Elle cessa de pleurer, s'appuya plus fort contre lui et sourit.

La caravane ne possédait plus qu'une seule arme, le couteau de poche d'un garde. François le prit, et saigna le cheval qui agonisait. Le sang fit une tache pourpre au pied d'un arbre noir. Quand la bête fut morte, le jeune chef entailla sa peau, découvrit la chair fumante, coupa dans les muscles de la croupe et du dos de larges tranches, qu'il distribua à ses compagnons.

— Mangez, même si ça vous dégoûte, ordonna-t-il.

Ils mâchèrent la chair tiède et molle. Teste ne pouvait se résoudre à avaler cette nourriture. A la troisième bouchée, il se mit à vomir. Il vomissait de la cendre et des glaires, s'appuyait, épuisé, à un arbre.

L'arbre craqua, s'écroula sur lui en énormes morceaux de charbon léger. Colette le tira des décombres, le nettoya, le berça. Une rage le prit. Il vint lui-même se couper une tranche plus grosse que la première, la déchira de ses doigts, l'avala presque sans mâcher.

On repartit, le gosier un peu moins sec. Mais bientôt la soif monta de nouveau du fond des entrailles, parchemina les palais, enfla les langues. Parfois un pied s'enfonçait en craquant dans la carcasse de quelque grosse bête enfouie sous la cendre, brisait les côtes de charbon, traversait une poitrine dont les poumons n'étaient plus qu'une ponce fragile.

Un second cheval s'abattit. Les hommes mâchèrent de nouveau sa chair fade. Ils en crachaient la fibre après avoir avalé le jus qui sentait la fatigue et la mort. Le soleil baissait à l'horizon. Sa lumière horizontale teignait de rouge la poussière soulevée par la marche. L'ombre des troncs la traversait de murs noirs.

Le soir tomba avant que François eût trouvé la moindre trace de cours d'eau ou de chemin. Quand le soleil fut couché, la chaleur, au lieu de tomber du ciel, monta de la terre. La cendre brûlait les jambes qui s'y enfonçaient. La caravane tournait le dos à l'étoile polaire. Les fugitifs allaient presque sans pensée. Vers la deuxième heure de nuit, ils arrivèrent au bord d'un vallon, dont la forêt pétrifiée descendait la pente.

François, qui marchait en tête, se laissa emporter par la descente. Il percuta dans un tronc, roula au milieu d'une pluie de charbon, se releva, se remit à courir. En bas, dans la vallée, devait sûrement couler un cours d'eau. Il courut plus vite. Il avala la cendre à bouche ouverte. Il voulait déjà sentir l'eau autour de ses jambes. Derrière lui, ses compagnons arrivaient en avalanche, emportés par l'espoir de trouver un courant qu'ils imaginaient gambadeur et riant, dans lequel ils se sentaient déjà plongés, bouche ouverte. Ils se coucheraient dedans, ils boiraient jusqu'à ce qu'ils eussent l'estomac rond. Ils se laveraient à grande eau la bouche et le gosier, ils boiraient par les mains, par le ventre et les cuisses, par toute la peau nettoyée.

Ils trouvèrent un large ruisseau, complètement sec.

Ils se laissèrent tomber au bout de leur élan, roulèrent au hasard dans le sable et la cendre, et ne se relevèrent point. Ils étaient au bout de toutes leurs forces. Maintenant, ils allaient se laisser mourir.

Dans le silence qui s'était abattu sur les corps écroulés, un bruit étrange s'éleva : Teste grinçait des dents. Colette le fit taire d'une gifle. Un gros garde se mit à pleurer. Les deux chevaux étendus, pattes raides, respiraient rapidement.

François se releva. Tant qu'il aurait une once de vie, il ne renoncerait pas. Parmi les provisions qui restaient, se trouvaient deux boîtes de cinq kilos de graines de soja en sauce. Il défit les paquets. Ses compagnons écroulés l'entendirent remuer les boîtes. Il trouva enfin ce qu'il cherchait, perça les couvercles, fit la tournée des gosiers. Il se penchait, secouait une masse sombre, soufflait : « Ouvre la bouche ! » cherchait le trou des lèvres et y laissait couler un fil du précieux liquide. Il reconnut, dans la nuit, la voix de Blanche qui lui dit : « Merci ! » et Mme Durillot près de son mari. Il accorda une ration plus abondante à la jeune femme enceinte. Quand ce fut fini, il ouvrit entièrement les boîtes, essaya de manger, mais n'y put parvenir. Ces quelques gouttes de boisson épaisse semblaient avoir rendu un peu de vie à ses camarades. Certain que tout le monde l'entendait, il s'adressa à Pierre à voix haute :

— Pierrot, tu vas monter celui des deux chevaux qui peut encore se traîner, et partir à la recherche de l'eau. Je suis sûr que toi, tu reviendras, à cause de ta femme et du petit qu'elle porte. Tu descendras le lit du ruisseau. Il va te conduire à celui de la rivière. Peut-être a-t-elle reçu un affluent sur l'autre rive, et y trouveras-tu de l'eau. Sinon, tu la suivras en direction du sud. Tu la suivras jusqu'à ce que tu trouves de l'eau, s'il le faut jusqu'à quelque fleuve où elle doit se jeter. Tu emporteras ces deux boîtes vides. Si tu ne trouves pas de récipient plus pratique, rapporte-nous là-dedans ce que tu pourras.

« Nous, après avoir dormi quelques heures, nous marcherons sur tes traces. Nous marcherons tant que nous pourrons. Tout notre espoir sera de te voir revenir. Nos vies dépendent de toi. Embrasse ta femme, et pars... »

*

François appelle d'une voix douce :

— Blanchette, où es-tu ?

— Ici...

Il vient s'allonger près d'elle. Il soupire. Il sent maintenant les blessures que le soleil lui a faites. A peine est-il couché que la fièvre de l'insolation le prend. Il s'y abandonne, après avoir recommandé à Blanche de ne pas s'effrayer.

— Dans une heure ou deux, ce sera passé.

Le garde s'est remis à pleurer, à sanglots nerveux,
qui ne peuvent plus s'arrêter. Le cheval qui reste râle.
Un arbre craque, puis un autre. Les hommes couchés
voient la herse des arbres nus monter dans le ciel
parmi les étoiles. La chaleur se dissipe, le charbon se
contracte, les troncs se fendent. Le crépitement de la
forêt s'accélère, peuple la nuit. Une brise se promène
parmi les colonnes desséchées, saute en bonds légers
d'une cime à l'autre, passe en chantant à travers une
fente, lève à terre un fantôme de cendres, le pousse
jusqu'à la vallée. Des milliers d'arbres morts étirent
leurs os.

Parmi leurs squelettes grinçants passe un vol de
velours, puis un autre. Des ailes silencieuses, en
multitudes, effleurent les écorces raidies. La vallée
s'emplit de vols brisés. Colette pousse un cri. Une
chauve-souris s'est abattue sur son visage. Un man-
teau gris, en une seconde, recouvre hommes et cheval.
Celui-ci, affolé, se dresse sur ses pattes, se met à
gambader et ruer, au milieu d'un essaim zigzaguant.
Hommes et femmes se lèvent. François, qui tremble
de fièvre, fait un effort surhumain pour recouvrer la
maîtrise de son corps et de ses esprits. Abritées du feu
par leurs grottes profondes, les chauves-souris sont
depuis plusieurs jours sans nourriture. Elles ne trou-
vent plus d'insectes à chasser dans l'air du soir. La
famine pousse à l'attaque ces bêtes inoffensives.

De tout le pays brûlé elles accourent vers ce lieu où
subsistent des êtres vivants. L'air palpite de leurs vols
en scie. Leur troupe obscurcit le ciel, cache les étoiles,
emplit la vallée d'un grouillement horrible. Elles
crient comme des rats, mordent la peau, les nez, les
oreilles. Les fugitifs se les arrachent de la chair, se
débattent dans une épaisseur d'ailes, de griffes, de

museaux pointus, écrasent des vols entiers à chaque
élan du bras. François ouvre les deux lames du
couteau qu'il avait attaché à son poignet, trace de
grands cercles autour de lui et de Blanche. Une pluie
de bêtes éventrées, coupées en deux, décapitées,
tombe à leurs pieds, aussitôt recouvertes d'un troupeau frémissant qui suce leurs cadavres. Une ruade du
cheval passe à deux doigts de la poitrine de Blanche,
creuse un grand trou dans l'épaisseur des ignobles
bêtes. François se taille un chemin vers le quadru-
pède, l'attrape par les naseaux, lui enfonce son
couteau dans l'œil, jusqu'à la cervelle. Il perce de
vingt coups de couteau le malheureux cheval abattu.
Ce sont autant de sources de sang sur lesquelles se
précipitent les rats volants. Autour des hommes, leur
volée se fait moins épaisse. François rassemble son
monde. Le garde pleureur a succombé. Il ne forme
plus sur le sol qu'une masse grouillante agitée de
soubresauts. François ordonne de fuir vers la rivière.
Ceux qui tout à l'heure étaient à demi morts de fatigue
courent maintenant. La peur leur donne des forces
nouvelles. Dès qu'ils s'arrêtent, les vols mous soufflet-
tent de nouveau leurs joues. La nuit en est pleine.
Fillon tombe. Un drap mouvant s'abat sur lui.
François écrase les bêtes à coups de talon, relève
l'homme, le secoue. Fillon fait un geste de renonce-
ment, se laisse retomber.

Colette, la première mordue, a l'oreille droite
percée. Elle tremble d'horreur. Elle n'a pas retrouvé
son courage. Une aile la frappe au visage. Elle s'arrête,
crie, s'enferme la tête dans les bras. Teste la prend par
la main et l'entraîne de nouveau. Elle résiste, elle ne
veut pas fuir, le danger est devant autant que derrière,
partout où l'air porte les bêtes voraces. Colette veut se

cacher. Elle s'assied par terre, se referme sur elle-
même en un tas, la figure dans les genoux. Des griffes
fouillent ses cheveux. Elle hurle, quitte sa combinaison pour s'envelopper la tête. Les bêtes se jettent sur
sa douce poitrine, mordent, déchirent. Tout leur vol
ivre tète le sang. Colette hurle, appelle la mort, se
roule au sol. Teste crie : « Le couteau ! » François
trouve sa main dans la nuit, le lui donne. Teste se jette
à terre, écarte le grouillement, cherche la gorge
blessée, y enfonce la lame et la paix.

François se baisse à son tour. Teste ne s'est pas
relevé. Sur le corps de celle qu'il aime, il s'est percé le
cœur. François arrache le couteau de ses côtes. Le
couteau est trop nécessaire, pour se défendre, jusqu'à
l'aube, ou pour mourir.

Pierrot frappe du talon les flancs de son cheval. La
bête épuisée trotte dix mètres, reprend le pas, s'arrête.
Pierrot se réveille, grogne, frappe de nouveau sa
monture, qui retrouve la force d'un petit élan. Les
boîtes vides dansent sur sa croupe à grand, puis à petit
bruit. Pierrot pique du nez sur le cou du cheval, se
réveille en jurant. Quand il se relève, ses reins
grincent comme une vieille porte.

Le cours de la rivière a dû changer de direction,
s'incliner légèrement vers l'est, car il l'atteint plus vite
qu'il ne l'escomptait. Mais il n'y trouve pas la moindre
goutte d'eau. Sa soif redouble, sa langue enfle dans sa
bouche, lui emplit toute la tête, devient brandon.

Son cerveau est de cendres, son crâne de charbon.
La selle lui brûle les fesses. Un tisonnier rouge lui
laboure les reins. Une forge ronfle dans son estomac.
Ses poumons soufflent des flammes. Ses mains crépi-
tent d'étincelles. Il voudrait se jeter au bas de ce
cheval incandescent qui marche, trotte, l'emporte
dans la nuit de feu. Il ne peut. Les flammes les ont
soudés. Ils galopent de plus en plus vite, comme la
tempête, de toutes leurs pattes, douze, vingt, cent,

dans un grand bruit de casseroles, de marteaux sur des enclumes, marteaux-pilons, mille aciéries en plein travail sur du fer rouge. Ils traînent une queue de flammes comme une comète.

Le cheval s'arrêta pile. Pierrot roula à terre, tomba la tête dans l'eau, ouvrit la bouche, ne se releva qu'au bout d'un quart d'heure.

Il fit trois pas, hésita, retourna, se coucha de nouveau, se remit à faire l'éponge. Il reprenait son poids d'homme. Il sentit l'eau descendre peu à peu jusqu'à ses pieds, sa chair se regonfler. Il cracha, sua, pleura, urina. L'eau était arrivée partout.

Lorsqu'il en eut bu jusqu'à plus soif, il s'étonna de son goût. Elle était tiède. Elle sentait le pot-au-feu. Dans quelle gigantesque marmite avait-elle pu bouillir ? Elle venait d'une rivière qui rejoignait la première à angle aigu. Au milieu des cailloux, elle coulait sur un pas de large et une main de profondeur.

Au confluent des deux cours d'eau s'étendait une île sur laquelle se distinguait vaguement la silhouette d'un bâtiment à demi ruiné, sans doute une ancienne pêcherie. Déjà le cheval avait escaladé le talus de l'île et broutait l'herbe sèche. Par miracle, l'incendie avait épargné ce coin de terre.

Pierrot alla reconnaître la maison. Elle se composait de quatre pièces, dont deux avaient perdu leur plafond. Il chercha quelque ustensile plus propice à transporter l'eau que ses boîtes sans couvercle, mais ne trouva rien qui ne fût rouillé et percé.

Il arracha le cheval à son festin d'herbe, arrima tant bien que mal les récipients, but un dernier coup et repartit.

L'aube mettait un vernis rose sur les troncs noirs lorsqu'il retrouva les survivants du groupe.

Ils étaient allongés, éparpillés sur une longueur de trois cents mètres de sable bouleversé. Pierrot trouva d'abord sa femme. C'était elle qui avait trouvé la force d'aller le plus loin, vers lui, son amour. Son visage était labouré de coups de griffes, ses ongles pleins de sang. Elle respirait. Il l'assit, la fit boire. Elle ouvrit les yeux, le reconnut, poussa un soupir de bonheur, s'interrompit de boire pour l'embrasser, reprit à deux mains la boîte dans laquelle coulaient ses larmes.

Dans les récipients restait à peu près un litre d'eau pour chaque survivant. Il leur rendit la vie et la parole.

Pierrot put enfin obtenir des explications. François plia vivement les bras pour se lever et cria de douleur. Au moindre mouvement sa peau brûlée saignait.

Il raconta l'attaque des chauves-souris. Mais Pierrot n'en trouva nulle trace, pas un seul cadavre, pas une empreinte, pas une marque de dent. Les visages griffés l'avaient été par des ongles. Le cheval ne portait que les blessures du couteau, Colette avait encore ses ongles enfoncés dans ses flancs. Les cadavres de Fillon et du garde étaient nets de toute blessure.

— Nous avons donc rêvé, fit Blanche effarée.

— Oui, vous avez été victimes d'un abominable cauchemar...

— Mais les morts, demanda le dernier garde, ils sont morts de quoi, les morts ?

— Nous avons subi une hallucination collective, supposa Narcisse, c'est Colette qui a crié la première. La fatigue, la soif ont provoqué chez elle une crise d'hystérie. Elle a peut-être vu vraiment une chauve-souris. Elle a imaginé les autres. Nous étions tous aussi près qu'elle de l'épuisement et de la folie.

Réveillés en sursaut par ses cris, tout ce qu'elle nous a décrit, nous l'avons vu...

— Nous nous sommes battus contre nous-mêmes, contre la peur, contre rien. Teste, fou, a tué Colette qui ne l'était pas moins, et s'est suicidé.

— Mais les morts, les deux autres morts, de quoi qu'ils sont morts ? s'obstina le garde.

— Ils sont morts, dit François, d'avoir renoncé. En pleine lutte, toute leur énergie mobilisée contre un ennemi imaginaire, ils se sont laissé vaincre, ils ont accepté la mort, et la mort est venue.

Le garde grogna. Il ne comprenait pas bien. Il regardait le corps de son camarade d'un air hostile, le front buté. Il se pencha, lui retira à grand-peine sa chemise.

Le cheval abattu fut dépecé et sa chair transportée dans l'île. Mais les hommes survivants, à peine couverts par des lambeaux de chemise, n'avaient conservé sur eux aucun objet, pas une seule allumette, pas un briquet. François choisit deux silex dans les cailloux de la rivière, les cassa pour obtenir des arêtes vives, et montra à Narcisse comment il fallait s'y prendre pour tirer de ces cailloux des étincelles. Ses bras le faisaient trop souffrir pour qu'il pût lui-même se charger de cette tâche.

Narcisse passa en effet une demi-journée en efforts infructueux, heurta mille fois les deux cailloux l'un contre l'autre, avec grand accompagnement de vociférations, avant de parvenir à un résultat. Quand il vit enfin un filet de fumée, mince et droit comme une tige de graminée, s'élever du petit tas de mousse sèche au-dessus duquel il s'escrimait, il poussa un barrissement de triomphe. Un grand feu flamba bientôt dans une cheminée de la maison en ruine et, ce jour-là, les six survivants de la caravane mangèrent de la viande cuite.

Ils restèrent en ce lieu quatre jours. La chair du

cheval fut à moitié fumée, puis exposée au soleil. En trois heures, celui-ci sécha complètement les tranches étendues sur l'herbe.

François avait revêtu la chemise de Fillon. Ses bras le faisaient moins souffrir. Pierrot s'émerveillait de voir sa femme porter sans accident leur espoir d'enfant.

— Ce sera un gaillard ! disait-il avec orgueil.

L'unique cheval survivant fut chargé de la chair de son compagnon et d'un grand ballot d'herbe sèche. La caravane se remit en marche dans la rivière, suivit le cours du mince courant. Il était plus facile de marcher sur les cailloux que dans les cendres. Et le murmure de l'eau glissant sur les graviers caressait les oreilles comme le chant même de la vie.

La rivière continuait de s'enfoncer dans la forêt de charbon. Le bruit des pas du cheval résonnait jusqu'à l'infini.

A l'aube de la troisième nuit, les compagnons s'apprêtaient à camper en un lieu où la rivière, encaissée, leur offrait l'abri de ses berges contre le soleil, quand un vent léger se mit à souffler.

Les hommes s'étaient étendus, retiraient les cailloux qui leur meurtrissaient les reins, creusaient dans le gravier un trou avec leurs fesses, disposaient sur leur ventre les lambeaux de leur chemise, retrouvaient le geste de protection de leurs ancêtres des cavernes pour fermer, avant de s'endormir, leurs mains en conque autour de leur sexe.

Le vent arriva avec le jour. Il venait d'un autre coin du monde, et apportait avec lui les cendres de l'Orient. Ce fut d'abord dans l'air comme une brume à peine visible, mais qui pénétra dans les narines et sous les paupières. De longues écharpes plus denses montèrent du sol, enroulèrent leurs arabesques autour des arbres. La vitesse du vent augmenta, la brume devint brouillard.

Les fugitifs se collèrent contre la berge, les hommes relevèrent leur chemise sur leur visage. Les deux femmes quittèrent leur combinaison et se l'enroulèrent autour de la tête.

En quelques instants la brise est devenue vent, puis tempête. Elle creuse des vagues énormes dans la couche de cendres, les disperse dans l'air, les pulvérise, les jette au ciel, les abandonne, à bout de souffle, très haut, dans des atmosphères précieuses, où elles continuent à monter lentement, en voiles diaphanes, sans poids, en petits nuages ronds, teints en rose, angéliques.

Au ras du sol, l'ouragan gris emporte un mélange de cendres et de débris de charbon si épais qu'il semble ne plus contenir d'air. Hommes et femmes, bouche ouverte sous le vêtement qui leur protège le visage, ont grand-peine à trouver dans cette purée de quoi emplir leurs poumons brûlants. Ils halètent; la sueur colle le tissu à leurs narines, à leurs joues. La plus fine cendre pénètre à travers l'étoffe, leur emplit la bouche. Ils voudraient cracher et boire. Ils ne peuvent qu'avaler leur salive sableuse. François leur a crié de ne pas bouger, quoi qu'il advienne, jusqu'à la fin de la tempête.

Des troncs, fauchés, tombent par milliers, lancent au vent leur fracas de vaisselle. Ceux qui résistent ronflent comme des sirènes, sonnent comme des caisses au choc d'énormes morceaux de charbon que leur jette l'ouragan. Une grêle de menus débris les racle au passage avec un bruit de papier de verre, s'abat à terre, repart en sifflant.

François tient une main sur Blanche. Il garde la
jeune fille serrée près de lui, il lui crie des mots
d'encouragement, et lorsque la voix chère perce le
mur mouvant de cendres, son propre courage s'af-
fermit.

Pierre Durillot a posé son visage sur le ventre de sa
femme, et la tient embrassée. Il sent contre sa joue
remuer son enfant.

Le garde a soif. La tempête dure depuis des heures,
depuis une éternité, lui semble-t-il. Sa soif a grandi
sans cesse. Elle l'occupe maintenant tout entier. L'eau
est si proche, à quelques mètres... Il se rappelle le
chant du courant sur les cailloux. Il l'entend. Justement le vent semble se calmer. Pourquoi se priver de
boire ? Il suffirait de courir quelques pas et de se jeter
à terre, le nez dans l'eau... L'image si précise l'arrache
à l'abri de la berge. Il se lève. L'ouragan l'enveloppe,
le frappe de ses mille poings. Les morceaux de
charbon se brisent sur lui. La cendre, arrêtée dans sa
course par cet obstacle, coule le long de son corps. Il
se précipite, baisse la chemise qui lui protégeait le
visage, ouvre les yeux, les referme aussitôt, pleins de
poussière et de larmes. En une seconde, il a vu devant
lui, au ras de ses prunelles, un gris opaque, une
épaisseur qui le touchait. Il se trouvait comme un
moellon à l'intérieur d'un mur. Il se baisse, cherche
avec ses mains le courant, il trouve une couche de
cendres. Ses narines sont déjà à moitié bouchées. Il
éternue, crache. Ses yeux lui font mal. Il avance un
peu à quatre pattes. Il étouffe. Il crache encore, se
mouche dans sa chemise, se l'enroule de nouveau
autour de la tête, tourne le dos au vent, reprend son
souffle, repart à quatre pattes. Sous la cendre, il sent
les galets durs. Mais depuis qu'il avance, il aurait dû

trouver le courant, arriver à l'autre berge. Il repart à angle droit. Au bout de quelques pas, il retrouve la rive. Il enrage. Des larmes de sang coulent de ses yeux. Il se relève, s'adosse au rivage, repart tout droit, dans le hurlement du vent qui cherche à le renverser. Le courant doit être là. Il arrache sa chemise, se baisse, enfonce ses doigts dans une boue épaisse. Il n'y a plus d'eau, plus qu'une sorte de ciment, de mastic tiède. Il ouvre la bouche pour crier son affreuse déception, alerter ses compagnons, son chef. La tempête lui enfonce dans la gorge un bâillon sec. Il tousse, il ne peut plus tousser, il râle, il devient violet. Il ouvre plus grande la bouche pour retrouver l'air qui lui manque. La cendre l'emplit, entre par les narines, obstrue les bronches. Le garde tombe, crispe ses deux mains sur sa gorge. Ses poumons bloqués ne reçoivent plus un souffle d'air. Chacun de ses efforts fait pénétrer davantage le bouchon de ciment. Il rue, se tord, griffe son cou.

Enfin ses mains se détendent, ses jambes s'allongent, son corps s'aplatit. Sa souffrance s'est apaisée. Son épouvante s'éteint.

Il a le temps de penser qu'il était bien ridicule d'avoir si soif. Il n'a plus besoin de rien.

François se leva le premier quand la tempête, vers le milieu du jour, se fut apaisée. Le vent tombé, l'air demeurait poussiéreux, la vue bouchée. Le soleil se devinait à peine, sous l'aspect d'un disque pâle. Il était possible de garder les yeux ouverts, mais, pour respirer, François se fit un voile de sa chemise autour du bas du visage. A son appel, ses compagnons se levèrent. Le cheval et le garde avaient disparu. Ce dernier fut trouvé à quelques mètres de là, sous un léger tumulus de cendres. La perte la plus grave était celle de l'eau.

Les trois hommes écartèrent la cendre sèche du plat de leur main, trouvèrent la boue, la rejetèrent sur les bords, atteignirent le gravier humide, le creusèrent sur une profondeur de trente centimètres. Dans le trou ainsi pratiqué, l'eau arriva lentement, d'abord trouble, puis claire. Les femmes les premières, les hommes ensuite purent boire à leur soif. Le colis de vivres fut tiré de son linceul gris, et, après un bref repas, les cinq rescapés s'endormirent.

Quand ils s'éveillèrent, vers la fin du jour, la cendre était presque entièrement tombée.

Les fugitifs regardèrent autour d'eux avec étonnement. La forêt calcinée, au sein de laquelle ils
défilaient depuis des jours et des jours, avait disparu.

Les troncs fragiles, fauchés par la tempête, s'étaient
émiettés en tombant. La cendre avait recouvert leurs
fragments d'un drap gris bosselé. Le moutonnement
léger de la couche de poussière s'étendait jusqu'à
l'infini, de tous côtés, vers les horizons plats, jalonné
par quelques troncs plus gros, au cœur solide, qui
avaient résisté au vent et dressaient, de-ci, de-là, leurs
mornes silhouettes coiffées de bonnets gris.

Le soleil bas, à demi voilé, semblait un fanal qui
brûle sa dernière goutte d'huile.

François montra du doigt le Sud. L'horizon y
semblait moins rectiligne, plus découpé.

— Nous sommes sur la bonne voie, dit-il. Ce que
nous apercevons là-bas, à bout de vue, ce sont sans
doute les ruines des villes de la Loire. La rivière nous
y conduit tout droit...

Chacun dut sacrifier ce qui restait de ses loques
pour s'attacher sur les épaules quelques tranches de
viande séchée. Et les cinq compagnons repartirent
vers le Sud comme la nuit tombait.

Ils ne purent continuer à suivre le lit de la rivière.
Le vent y avait accumulé les cendres, par endroits, sur
plusieurs mètres d'épaisseur. Dès les premiers pas,
Pierrot s'était enfoncé jusqu'au cou dans un trou et
aurait peut-être disparu s'il ne s'était accroché à la
jambe de Narcisse qui marchait à côté de lui.

Ils suivirent la berge orientale, plus haute, que le
vent avait nettoyée. Ils avançaient nus dans la nuit
presque blanche de cendre et de lune, maigres,
hirsutes, sales, obstinés. Au milieu de l'étape, ils
durent s'éloigner de la rivière. Celle-ci traversait un

petit vallon, entre deux collines, et la cendre s'était
accumulée entre elles jusqu'à leurs sommets. Ils
contournèrent la colline de l'est et trouvèrent son
versant presque dégarni de cendres. Le long de la
pente, de petites silhouettes noires, tourmentées,
s'accrochaient au sol. Quand ils les atteignirent, les
fugitifs reconnurent des cadavres humains, carboni-
sés. Il y en avait une trentaine. Ils étaient couchés,
tordus encore de la dernière souffrance. Le vent avait
rempli de cendres les ventres noirs crevés et les
bouches ouvertes. Parfois une côte, une omoplate
livide, perçait une poitrine de ténèbres. Un tibia
tendait son manche de gigot brûlé. Un visage de
charbon montrait les dents à la lune.

A moins d'un kilomètre se dressaient les ruines des premières maisons. Leur dernière étape avait amené les fugitifs à la limite des parcs qui séparaient la ville de la brousse. Rien ne distinguait plus ces parcs du reste de l'étendue grise, si ce n'était le lit de ciment que les hommes avaient construit à la rivière pour conduire ses eaux vers les piscines et les petits canaux décoratifs.

Ils étaient arrivés là avant que la nuit fût terminée. François avait décidé de ne pas pousser plus loin. Car il ne faudrait pas compter trouver de l'eau entre les berges de ciment emplies de cendres.

Ils avaient creusé un trou dans le gravier, bu, mangé et dormi. Le soleil s'était levé puis couché. Ils attendirent, pour repartir, le lever de la lune.

Dès leurs premiers pas à travers les anciennes pelouses du parc, leurs pieds butèrent sur des cadavres enfouis sous la cendre. A mesure qu'ils avançaient, ils pénétraient dans l'odeur de la ville incendiée, plus dense de minute en minute. C'était une odeur refroidie de carne grillée, de suie, de vieux chiffons couvant le feu, de caoutchouc brûlé, de peinture flambée, de plastec fondu.

Ils rencontrèrent d'abord quelques maisons isolées. Les toits étaient tombés entre les murs souillés par la fumée. Les portes et les fenêtres béaient. Ils traversèrent les ruines d'une cité ouvrière à maisons surélevées. Leurs pédoncules tordus, brisés, les maisons s'étaient pulvérisées au sol. Des blocs de ciment, des restes de tiges d'immeubles émergeaient par endroits de la couche de cendres.

De la cité, une large rue s'enfonçait droit vers le fleuve à travers les murs échancrés des entrepôts et des usines. Elle était encombrée de débris de toutes sortes, ferrailles d'auto, fragments de murs molletonnés par la couche universelle de poussière.

— Pas une trace de pas, pas un bruit, dit Narcisse angoissé. Est-ce qu'il ne resterait plus, ici, un seul homme vivant ?

— Le choléra et le feu ont peut-être tout exterminé, répondit François dont la voix trahissait la même émotion.

Ils avançaient lentement, enjambaient ou tournaient les obstacles, regardaient sans cesse autour d'eux. François craignait une surprise. Blanche le suivait d'aussi près qu'il lui était possible. Elle posait ses petits pieds nus dans les larges traces des pas de son ami. La lumière de la lune creusait parmi les ruines des ombres biscornues, des gouffres profonds de ténèbres. Le vent tombé, la cendre légère s'était déposée comme une neige au sommet de chaque mur noirci. Elle ourlait de gris pâle tout ce qui restait encore debout. Mme Durillot marchait derrière Blanche. Elle s'était fait, avec des débris de vêtements, une sorte de ceinture qui lui passait sous le

ventre et lui donnait l'impression de le soutenir. Elle
précédait son mari qui ne la quittait pas des yeux.
Narcisse fermait la marche.

La rue aboutissait à un pont. Ils s'y engagèrent.
Une rumeur montait du fleuve. Ce n'était pas seulement le bruit nu du courant, mais quelque chose de
plus complexe. Au bout de quelques pas, ils se
penchèrent sur le parapet.

L'eau était extrêmement basse. Les péniches, cha-
lands à moteurs, remorqueurs, barques légères
s'étaient échoués. Sur les ponts de ces bâtiments
rampaient quelques êtres humains, trop épuisés pour
se tenir sur leurs jambes, rescapés de l'enfer et du mal
noir, la plupart nus, tous squelettiques, à bout de
forces, demi-cadavres dans l'attente de la mort. Quelques-uns étaient étendus près de l'eau, ou dans l'eau
même. Certains ne bougeaient plus, endormis ou
morts. D'autres se groupaient autour d'un cadavre, le
dépeçaient de la dent et de l'ongle, demandaient un
prolongement de vie aux restes de chair de celui que la
vie venait de quitter. De ce grouillement que la lune
peignait d'une lumière sans relief ne s'élevait pas un
cri, pas un mot qui rappelât que ces larves avaient été
des hommes, mais un concert bas de grognements, de
sons inachevés, chuchotés, de bruits de bouches qui
mâchent et boivent, de clapotis d'eau, et de mains, de
cuisses, de ventres nus qui se traînent. Une odeur de
vase, de poisson crevé, de charogne et d'excréments
montait jusqu'aux narines des cinq compagnons hallu-
cinés, qui n'arrivaient pas à s'arracher à ce spectacle.
Ils comparaient leur propre misère à cette horreur.
Nus, mais debout, maigres, affamés, las, mais décidés
à la lutte, ils étaient loin de cette déchéance atroce. Ils
n'avaient pas renoncé. Ils étaient encore des hommes.

— Allons, mes enfants, il faut s'éloigner d'ici le plus rapidement possible, dit François.

Ils reprirent leur marche le long du pont encombré. Ils se demandaient ce qu'ils allaient trouver sur l'autre rive, quelles épreuves nouvelles les attendaient, quels obstacles ils devraient encore franchir avant d'atteindre cette Provence où il leur serait peut-être possible de recommencer à vivre.

François se sentait empli d'une énergie nouvelle. Ses muscles amaigris lui obéissaient parfaitement, son esprit restait clair, son cœur jetait à travers son corps autant de courage que de sang.

Ses compagnons le suivaient avec une confiance accrue. Ils arrivèrent au bout du pont. François posa le pied sur le quai sud de la Loire.

L'*arc-en-ciel 29*, un des petits avions-cargos de la maison Levert et Cie, qui transportait de l'usine de Paris à celle d'Alger douze tonnes de semences de fleurs et de légumes, se trouvait au-dessus du Massif central, à dix-huit mille sept cent douze mètres virgule trente-trois d'altitude, exactement, quand ses moteurs s'arrêtèrent. Le compartiment du parachute ne s'ouvrit pas. L'avion courut sur son erre, bascula, pirouetta, se décrocha de sa trajectoire et tomba sur le flanc escarpé d'une montagne de la chaîne des Margerides. Il fut pulvérisé. Les graines s'éparpillèrent dans toute la vallée. Ces graines sélectionnées provenaient de plantes de forcerie. L'usine d'Afrique du Nord, à laquelle elles étaient destinées, devait les faire germer et pousser dans une atmosphère surchauffée. Semées par l'accident dans cette vallée très encaissée où subsistait quelque humidité, elles se trouvèrent fort bien des circonstances, prirent racine, verdirent et fleurirent.

Après les déserts de cendres, les villes brûlées, les rivières à sec, les cinq compagnons avaient traversé d'autres déserts de cendres, d'autres villes ravagées, d'autres étendues de brousse et de forêt épargnées par le feu et détruites par la sécheresse. Ils remontaient la haute vallée de l'Allier.

François comptait obliquer à l'est avant d'arriver au mont Gerbier-de-Jonc, traverser les monts du Vellay à l'endroit même où ils rejoignent ceux du Vivarais, et trouver au-delà la vallée de l'Ardèche. A ce moment, il estimait que les plus grosses difficultés seraient terminées.

Ils remontaient lentement la vallée au fond de laquelle ne courait plus qu'un filet d'eau sur les cailloux du torrent : ils se nourrissaient de poissons pêchés à la main dans les creux d'eau.

Les trois hommes étaient devenus maigres et durs, Blanche avait perdu toutes ses rondeurs de femme. Son corps nu semblait celui d'une grande fillette dont la chair n'a pas poussé aussi vite que les os.

La malheureuse femme de Pierrot poussait devant elle un ventre brun que la maigreur de ses membres faisait paraître plus énorme encore. Sous la peau qui luisait tant elle était tendue, l'enfant, parfois, se déplaçait, et la future maman caressait avec amour quelque bosse brusquement surgie à l'est, à l'ouest ou au sud de son nombril.

Un matin, ils franchirent un tournant de la vallée et s'arrêtèrent stupéfaits. Le soleil, qu'ils ne voyaient pas encore, commençait à mordre les sommets dénudés des monts de la Margeride, mais plus bas, devant eux, là, à quelques pas, tout le fond du val et la moitié des pentes étaient tapissés d'une végétation exubérante. Sur le vert profond des feuilles épaisses, mille sortes de fleurs piquaient des taches de couleurs tendres ou violentes. Un parfum de paradis descendait le long du courant.

Mme Durillot avança de quelques pas, se baissa, cueillit une violette si grande, si belle, qu'elle y put enfouir tout son visage. Elle leva les bras au ciel dans un geste de gratitude, puis croisa ses mains sous son ventre et se mit à courir, à gambader dans l'herbe épaisse.

Les forces de la joie épuisées, elle se coucha doucement sur un lit de pâquerettes larges comme des assiettes. Son mari se pencha vers elle. Le visage de la jeune femme était inondé de larmes. Elle lui dit doucement :

— Mon chéri, mon Pierrot, j'ai eu beaucoup de courage, dis, tu l'as vu ? Je me suis retenue tant que j'ai pu. Maintenant, maintenant, je ne le porterai pas plus loin...

Quelques heures après, la vallée retentissait des cris de l'enfantement.

Juste au moment où le soleil atteignait ses cheveux, la jeune femme apaisée referma ses cuisses lasses. Avec le couteau qui avait accompli tant de besognes utiles ou tragiques, François coupa le cordon du nouveau-né. C'était un garçon, maigre et rouge comme un chat écorché. A la troisième seconde, il se mit à hurler avec une énergie qui fit fuir son père et combla de joie le cœur de sa mère. Les sommets desséchés des montagnes renvoyèrent tout autour d'eux, dans le pays désert, brûlé à mort, l'écho de la voix nouvelle.

Dans une vallée voisine, il se trouva des oreilles humaines pour l'entendre. Deux vieux habitaient là, le dernier couple d'une très ancienne race de bergers. L'homme avait près de quatre-vingts ans, et la femme guère moins. Ils habitaient les ruines d'une antique ferme au toit bas, en compagnie de quelques brebis,

de quatre chèvres, un bouc, un bélier et un chien
poilu. Ils se nourrissaient du lait et du fromage de
leurs bêtes, et se couvraient de leurs toisons. Ils
étaient très ridés et très sales. Ils ne parlaient presque
jamais. De temps en temps, quelques mots à leurs
moutons ou aux chèvres têtues. Entre eux il y avait
bien longtemps que tout avait été dit. Ils continuaient
leur vieille vie, sans penser à la mort. Ils savaient
qu'elle les prendrait tous les deux à la même heure, et
que la montagne recueillerait leurs bêtes. Mieux que
les bruits de leur propre corps, ils connaissaient tous
les murmures et les cent formes du silence des
torrents, des arbres et des rochers de leur univers.

Le vieux était en train de traire une brebis quand le
cri de femme arriva jusqu'à ses oreilles. Il se redressa
sans hâte et s'en fut retrouver sa vieille. Elle était à
couper des brindilles dans un fagot sec pour allumer le
feu du midi. Elle entendit. Elle abandonna sa tâche
pour aller retrouver son vieux. Ils se rencontrèrent sur
le seuil de la cuisine. Ils se regardèrent. Il tendit le
bras dans la direction d'où venait le cri renouvelé. Elle
hocha la tête. Elle avait bien reconnu ce cri pareil que
poussent toutes les mères quand elles se partagent
pour que la vie continue. Elle-même avait eu trois
enfants. Le dernier les avait quittés depuis longtemps
pour descendre vers le monde. Elle avait encore, à
cette époque, des cheveux noirs et quelques dents.

Ils ne l'avaient jamais revu, lui ni aucun autre
homme.

Elle prit un bol de bois, l'essuya du coude, ferma sa
cuisine. Il attacha le chien, mit la barre à la porte de
l'étable, après en avoir fait sortir une chèvre blanc et
noir. Il poussa devant lui la bête avec un bâton. La
vieille suivit son vieux. Ils commencèrent tous les trois

à grimper vers le col que franchissait la voix de femme. La chèvre trottinait devant, s'arrêtait pour attendre l'homme, cueillait de ses longues dents l'épi d'une graminée. Le vieux suivait la bête, à pas lents de montagnard qui ne se trompe jamais pour poser son pied. La vieille venait derrière. Elle commençait à s'essouffler. C'était d'émotion. Car à la voix de la femme succédait le pleur vigoureux d'un enfant.

Ils arrivèrent vers le milieu de l'après-midi. Ils trouvèrent dans les fleurs trois hommes nus, une sorte de grande fille qui ressemblait à leur chèvre, et une femme encore saignante. Près d'elle, un petit enfant nu, les yeux et les poings fermés, dormait dans les boutons-d'or.

Les rescapés les avaient vus venir de loin. Ils s'étaient d'abord préparés à la défense. Puis l'étonnement, enfin la joie, à la vue de la biquette, avaient fait place à la méfiance.

François voulut raconter leur histoire à ces deux vieux qui n'avaient pas encore dit un mot. Il commença :

— Nous sommes des survivants de la catastrophe...

La vieille ne l'entendit pas. Agenouillée près de l'accouchée, elle était occupée à traire la chèvre dans le bol de bois. Elle avait joint les mains de pitié à voir la jeune mère si nue et si maigre.

Le vieux leva vers le grand François son visage tout noir de crasse et de rides, ouvrit sa bouche, racla son gosier, fit un gros effort et grinça :

— Qué catastrophe ?

Quand la caravane repartit, elle était augmentée du nouveau-né, d'une chèvre et d'une lourde besace emplie de fromages secs.

Au cours des étapes, le petit Victor-Pierre, enveloppé d'une vieille toile à fromage et d'un carré de laine blanche tissée à la main, passait successivement dans les bras des trois hommes et de Blanche. La jeune mère n'avait droit de le reprendre qu'aux arrêts. Il fallait qu'elle ménageât ses forces le plus possible, car elle avait un peu de lait, et nourrissait son enfant de concert avec la chèvre.

Enfin le plus haut col fut atteint, et la descente par la vallée de l'Ardèche commença. Sur les pentes des Cévennes commençait la culture des arbres fruitiers et de la vigne. De nombreuses exploitations avaient été pillées. Des familles s'étaient groupées pour défendre les fermes subsistantes. Des chiens menaient un tapage infernal dès que les fugitifs essayaient d'approcher d'une habitation. Des hommes, armés de fourches et de faux, apparaissaient et faisaient signe de passer au large. Une fois, cependant, la vue du nouveau-né attendrit un paysan, dont la propre

femme venait d'accoucher. Il fit entrer les deux
femmes, laissa les hommes dehors, sous la garde de
deux valets armés de fourches. Il donna à manger à la
jeune mère, l'habilla, ainsi que Blanche, leur fit don
de quelques vêtements usagés pour les hommes et les
mit dehors en leur souhaitant bonne chance.

Le lendemain, le groupe arrivait au Rhône, et le
franchissait sur une vieille passerelle à demi ruinée,
après avoir trouvé trois ponts gardés par des hommes
en armes.

Ce fut trois jours après, à la fin d'une dernière étape
prolongée presque jusqu'au milieu de la journée, que
les rescapés arrivèrent en vue de Vaux.

François fit arrêter ses compagnons, et s'avança seul
vers le bourg. Le feu l'avait épargné. Mais la vue des
champs en friche, des récoltes perdues sur pied,
serrait le cœur du jeune garçon. Le choléra avait dû
sévir durement.

Il entendait au loin des poules chanter l'œuf. La
première ferme du village était celle des Bonnet. Elle
montrait son toit rose au-dessus des dos gris des
oliviers. Quand François s'approcha, il vit la cour
déserte, les volets clos. Il se mit alors à courir vers la
maison dont il gardait l'image dans les yeux depuis son
départ de Paris, vers l'abri qu'il était venu chercher de
si loin. Il coupa à travers champs, par les sentiers qu'il
connaissait pierre à pierre. Il évitait d'un pied habitué
les mêmes trous, les mêmes taupinières. Il haletait
d'angoisse, tout son sang-froid perdu pour la première
fois depuis le soir de la catastrophe. Il reconnaissait au
passage l'odeur du thym chaud des talus exposés au
soleil, le ronronnement des ruches derrière le mur du
verger. Le blé du plan Saint-Julien avait été récolté.
Mais le soja du Côteau-Rouge perdait ses graines sur

place, et les derniers raisins de la vigne achevaient de pourrir. Il courut plus vite, s'arrêta net au tournant qu'il connaissait, fit encore trois pas lents, découvrit la ferme de pierres dorées, entre les deux cyprès dont le plus haut tordait de vieillesse le bout de son doigt. Un filet de fumée montait de la cheminée.

Il lui restait quelques pas à faire. Il n'osait plus avancer. Lion, le chien de berger, s'étranglait de joie, essayait de sauter par-dessus la grille. François tremblait.

Une femme vêtue de noir parut sur la porte de la salle commune, en haut des trois marches usées. La voix du chien l'avait arrachée à sa besogne en lui annonçant ce qu'elle n'osait plus espérer. Elle vit, adossé au vieux mûrier, au tournant du chemin, un vagabond vêtu d'un pantalon en loques. Son torse nu était d'une maigreur effrayante. Une longue barbe sale lui cachait le cou. Et des larmes roulaient sur sa barbe. Elle faillit plier sur ses jambes. Elle voulut parler. Elle ne put pas. Elle ouvrit ses bras. Il s'élança, poussa la grille d'un coup de pied, ferma les yeux tandis qu'elle le serrait sur son cœur. Il retrouva sa voix d'amour pur, sa voix d'enfant du soir, pour murmurer : « Maman, ma maman ! »

Le père de François était mort, les parents de Blanche avaient succombé tous les deux. Mais les jeunes gens n'eurent pas le loisir de s'abandonner à leur chagrin. Il fallait préserver et continuer la vie, menacée de toutes parts. Le choléra avait emporté les trois quarts de la population du village, n'avait laissé presque que des femmes. Les récoltes au sol s'étaient pour la plupart perdues, faute de main-d'œuvre. La sécheresse avait détruit les fruits sur les arbres.

Des bandes de pillards venus des villes parcouraient les campagnes, tuaient les paysans et mangeaient sur place leurs provisions.

François décida, avant toutes choses, de fortifier la ferme paternelle. Avec l'aide de Pierrot et de Narcisse, il suréleva le mur d'enclos et en doubla l'épaisseur.

Les trois hommes rentrèrent ce qu'ils purent sauver des récoltes de la ferme des Deschamps et des fermes voisines vidées par le fléau. Les greniers en furent presque garnis. Ils travaillaient sous un soleil torride. A la fin octobre, il faisait plus chaud qu'en août. L'été semblait vouloir se prolonger interminablement.

Un après-midi, sur l'aire de sa ferme, François s'occupait à rouler le dernier blé rentré.

Un petit tourbillon de vent arriva du sud, ramassa trois feuilles sous le mûrier, caressa François au visage, tourna sur l'aire, joua avec la queue de la mule et sauta par-dessus le toit.

François releva la tête. Ce vent-là sentait la terre mouillée.

A l'horizon, un nuage noir, ourlé de feu, un nuage d'une épaisseur extraordinaire, surgissait des montagnes.

Le jeune homme poussa un cri de joie, appela sa mère. Avec l'aide de la vigoureuse paysanne, il ramassa les gerbes, balaya l'aire, mit tout à l'abri.

Le nuage avait envahi la moitié du ciel. Le bleu de l'autre moitié tournait au violet. Un rideau de pluie dégringola la pente de la montagne et traversa la vallée. Les arbres se courbaient sous son poids et se laissaient arracher leurs dernières feuilles mortes. François étendit ses bras, offrit son visage au ciel. Ses joues, ses yeux, son front et la terre desséchée reçurent les premières gouttes, énormes, avec la même joie. Il les entendit piquer les feuilles sèches, éclater en étoiles sur les tuiles. Leur crépitement s'accéléra, se souda, devint un bruit immense qui emplissait la vallée, le monde, et les cervelles. Une odeur puissante monta du sol amoureux à la rencontre du déluge.

Narcisse, Pierrot et sa femme, qui travaillaient aux champs sous la direction de Blanche, arrivèrent trempés et riants.

Lion courait comme un fou à travers l'aire, se roulait à terre, s'ébrouait, recommençait à courir, jappait de joie.

Mme Durillot s'en fut chercher son fils tout petit, le

dévêtit, et, dans ses deux bras, l'offrit à la pluie bienvenue. Il reçut de l'eau dans les yeux et se mit à hurler. Sa mère rieuse embrassa sa petite chair qui ruisselait, le frotta, le tourna en tous sens sous la douche tiède, puis courut l'envelopper dans des linges secs.

— Comme le choléra, comme le feu, la colère de Dieu vient de s'éteindre, dit François.

La pluie se calma quelque peu et continua de tomber, plus légère, pendant deux jours et deux nuits. On ne se rassasiait pas de l'entendre, de la voir couler sur les murs, dans les ruisseaux, emplir les mares, gonfler le torrent voisin. La terre fumait, l'herbe se redressait, les arbres chantaient. Le vert renaissait.

Le troisième jour, l'orage sans foudre s'arrêta, le soleil reparut, mais il avait perdu son ardeur terrible. Les hommes retrouvèrent en lui l'ami de toujours.

François convoqua les chefs de toutes les familles du village, ou du moins ce qu'il en restait. Ils furent, le soir, une vingtaine réunis dans la grande cuisine de la ferme. Quelques lampes à huile à bec pointu pendaient du plafond, faisaient danser des ronds jaunes sur les poutres et cernaient les profils d'une lumière d'or.

Les Deschamps étaient estimés et respectés. Hommes et femmes écoutèrent avec attention le dernier de ce nom lorsqu'il exposa ses idées d'organisation du village.

Il dit qu'il fallait mettre en commun les moyens de travail et de défense, partager les récoltes, répartir les semences et la main-d'œuvre. Les jeunes, les hommes survivants devaient aider les vieillards et les femmes seules. Il ne fallait pas semer n'importe quoi n'importe où, mais consacrer les meilleures terres aux récoltes les plus nécessaires. Tout le monde devait s'entraîner au maniement de la fourche, du sabre et de la hache. Il faudrait même rapidement apprendre à fabriquer des arcs et à s'en servir, pour posséder une arme à longue portée. Une femme serait, sans cesse, de jour, postée en haut du clocher, pour sonner le tocsin en cas d'approche d'une troupe suspecte. La nuit, des sentinelles garderaient les voies d'accès au territoire du village.

Chacun approuva ces suggestions, et quelques autres. François fut nommé chef du village. Il s'adjoignit trois conseillers, les plus sages paysans du lieu. Le bourg commença de s'organiser pour l'hiver.

François épousa Blanche avant la Noël. Il ordonna à tous les hommes, veufs ou célibataires, de choisir une femme et leur conseilla de faire rapidement des enfants. Il fallait des bras pour remuer toute la terre abandonnée.

Le village recevait, par des passants, des nouvelles du monde.

Un peu partout, des groupes semblables à celui de Vaux s'organisaient avec plus ou moins de bonheur. Des troupes armées avaient été dispersées. D'autres continuaient leurs méfaits. Une d'elles ravageait la basse vallée de l'Aygues, qu'elle remontait lentement vers Vaux.

Devant ce danger, François fit porter des messages aux bourgs les plus proches. Sur sa proposition, un plan commun de défense fut établi. Une nuit, un feu s'alluma au sommet d'une montagne, bientôt multiplié sur les monts voisins. Les pillards, cernés au fond de la vallée par les troupes accourues de toutes parts, furent taillés en pièces.

Le lendemain, les chefs de village, réunis, donnèrent à François autorité sur toute la vallée.

Le patriarche

De longues années ont passé. Blanche a donné à François dix-sept enfants.

Elle était devenue une charmante petite vieille. Pendant les veillées d'hiver, quand brûlait à courtes flammes, dans la cheminée de la salle commune, le feu de souches d'olivier, elle chantait encore, d'un filet de voix resté clair, des chansons de sa jeunesse à des garçons et des fillettes. Ils écoutaient, bouche bée dans la pénombre, les chants mystérieux pleins de mots dont ils ne comprenaient pas le sens : *Mon avion rouge, Enfin j'ai une auto,* ou *En prenant l' métro avec vous*...

Elle s'est éteinte à un âge très avancé. Elle était devenue très vieille. Elle s'était ratatinée. Elle ne pouvait plus rien faire. Elle ne savait plus que sourire.

A cent vingt-neuf ans, François vient de remplacer sa septième femme par une fillette de dix-huit ans qui, cinq mois après les noces, a revêtu avec orgueil la robe rouge des femmes enceintes.

L'autorité du patriarche s'étend maintenant sur
toute la région limitée à l'ouest et au nord par le
Rhône, à l'est par les Alpes et par la Méditerranée au
sud. Une des lois de base de l'État nouveau est celle
qui rend la polygamie obligatoire. Le choléra, l'incendie, la famine avaient laissé très peu de survivants. Et
parmi ces rescapés se trouvaient environ quatre
femmes pour un homme. La même proportion subsista dans les naissances qui suivirent la catastrophe.
La Nature, pour repeupler le monde, avait multiplié
les doux terrains de culture. Elle prévoyait que la
semence ne manquerait pas.

Pour faire accepter la nouvelle loi aux gens qui
avaient, comme lui, connu les règles de l'ancien
temps, François s'était d'abord adressé aux femmes de
sa vallée. Il les avait toutes réunies, au soir de la Saint-
Jean qui suivit le grand incendie, dans la plaine de
l'Aygues, près des ruines de Nyons. Les feux de la
Saint-Jean envoyaient, des quatre coins de la nuit, leur
message d'espoir au ciel criblé d'étoiles. Le printemps
gonflait les chemisettes.

Debout sur une charrette, le visage illuminé par un
feu voisin, François devinait dans l'ombre les yeux
ardents des centaines de visages tournés vers lui. Il
leva les bras, fit taire les chuchotements, et exposa la
situation :

— Vous êtes nombreuses. Nous sommes rares.
Vous êtes comme des champs de terre riche qui
attendent le laboureur. Il faut que chaque parcelle de
cette bonne terre connaisse le soc de la charrue. Vous
n'avez pas le droit de rester incultes. Nous n'avons pas
le droit de négliger la moins belle d'entre vous. Le
monde a besoin de bras. Le sort de notre pays dépend
de la décision que nous allons prendre ensemble ce

soir, vous et moi. Chaque femme en âge d'avoir des enfants doit être mise dans la possibilité d'accomplir son devoir envers la race humaine et le monde vivant...

Les femmes d'âge un peu mûr furent les premières à l'acclamer, et aussi les bigles, les maigres, les déshéritées. La nuit complice leur permit de crier leur joie sans avoir à rougir devant leurs voisines. Les jeunes filles suivirent, même les gentillettes qui possédaient déjà un galant. Celles-là étaient moins entraînées par des désirs inavoués que par le sens du devoir que la mâle autorité du jeune chef venait d'éveiller en elles. Les femmes à qui le cataclysme avait laissé leur mari n'osèrent pas protester contre le partage qui leur était proposé. Elles étaient en petit nombre.

Quand il eut obtenu le consentement des femmes, François imposa sa volonté aux hommes. Ils se trouvèrent d'ailleurs bien aises de recevoir à la fois des bras nouveaux pour travailler leurs domaines, et quelque variété pour les nuits à venir. Leurs qualités viriles se développèrent. Les plus mous durent acquérir du caractère pour faire régner la paix entre leurs femmes.

Chaque village de la vallée envoya à François sa plus belle fille, en le priant de l'accepter pour femme. Il choisit les quatre de plus ferme chair, de plus clair regard, et, pour donner l'exemple, y ajouta une moustachue et une boiteuse.

Blanche, la tant aimée, qui portait déjà le fruit des noces, installa elle-même les nouvelles venues dans sa maison. Si elle fut jalouse, elle ne le montra guère. Elle savait bien que, parmi les sept, elle restait la première. En homme d'ordre, le jeune chef attribua un jour de la semaine à chacune de ses femmes. Le dimanche était à Blanche. La moustachue se rasait tous les vendredis soir.

La ribambelle d'enfants qui trotta bientôt dans la vaste ferme fit d'ailleurs disparaître parmi ses habitantes toute trace de mélancolie ou d'irritation. Ce débordement de vie ne laissait place dans les cœurs que pour la joie et l'amour.

Les générations nouvelles ont accepté la polygamie comme une chose naturelle. Ce petit coin du monde, entre le grand fleuve, la montagne et la mer, s'est repeuplé à une cadence rapide. Dès le troisième mois de grossesse, les femmes portent une robe rouge, symbole à la fois de leur bonheur et de leurs souffrances, qui leur vaut tous les égards et l'affection de la foule.

Les villages se sont bientôt trouvés peuplés en surabondance.

François a décrété : « Que les vaillants s'en aillent. Allez conquérir votre terre sur la forêt, sur la brousse, sur les déserts de cendre. Le Monde est vide. Allez bâtir votre maison en un lieu dépeuplé, allez fonder d'autres villages ! »

Des caravanes de garçons et de rudes filles sont parties en chantant, ont débroussaillé, défriché, peuplé de nouvelles vallées, de nouvelles provinces, ont combattu les sauvages des forêts de l'Auvergne et des déserts de la Loire, ont essaimé dans toute la France, en Europe, en Afrique, ont imposé, partout où elles se sont installées, les sages lois du chef François. Deux des plus importantes, parmi ces lois, sont celle qui défend à un homme de posséder plus de terre qu'il n'en puisse faire le tour à pied du lever au coucher du soleil, au plus long jour de l'été, et celle qui interdit que plus de cinq cents familles habitent ensemble dans le même bourg.

Rien ne se vend, dans le monde nouveau, qui ne connaît pas le sens du mot « marchand ». Chaque famille tisse et file le lin, le chanvre, la laine, tanne le cuir, taille le bois et la pierre, selon ses besoins. Les outils et ustensiles de ménage sont distribués par les chefs de village. Ils ne sont plus en fer ou acier, mais en bronze. Le fer est devenu fragile depuis le cataclysme. Chauffé au rouge, il se brise en poussière sous le marteau.

Dès les premiers temps de son règne, François a fait détruire les alambics et pendre les hommes qui avaient voulu en dissimuler. Chaque famille cultive un peu de vigne et fait cuver le raisin. Mais le vin n'est bu qu'avec modération. L'humanité a remplacé le culte du gros rouge par celui de l'eau. Les vieux, ceux qui ont vu le monde, autour d'eux, manquer de périr faute d'eau, ont transmis à leurs enfants le respect et l'amour de ce pur élément.

François a rétabli une religion basée sur l'amour de Dieu, de la famille et de la vérité, et le respect du voisin. Il est à la fois chef temporel et spirituel. Il délègue sa double autorité aux chefs de vallée, chefs de village, chefs de ferme. Il surveille avec fermeté le développement de la civilisation nouvelle et réprime sans pitié tout attentat à la douceur des mœurs.

La grande catastrophe a laissé le souvenir épouvanté, transmis par tradition orale, d'un déluge de feu et d'un mal sans pitié, manifestations du courroux divin contre l'orgueil des hommes. Ce qui demeure des ruines disparaît peu à peu, sous le lent travail du vent, du gel, des graines et des mains humaines, qui

viennent y puiser des matériaux pour construire des
maisons dans les villages ensoleillés.

François se rencontre une fois l'an avec les autres
chefs de province, pour comparer les résultats des
récoltes, décider des échanges, fixer les foires. Son
âge, sa sagesse, son prestige d'unique survivant du
monde disparu lui donnent sur les autres chefs une
souveraineté incontestée.

Une des premières mesures qu'il leur fit adopter fut
la destruction des livres. Il a organisé des équipes de
recherches, qui fouillent les ruines tout au long de
l'année. Les livres trouvés pendant les douze mois
sont brûlés solennellement au soir du dernier jour du
printemps, sur les places des villages. A la lueur des
flammes, les chefs de village expliquent aux jeunes
gens rassemblés qu'ils brûlent là l'esprit même du
mal.

Pour faciliter l'enseignement de l'écriture, François
a fait conserver quelques livres de poésie :

« Ce sont, a-t-il dit, des livres qui ne furent
dangereux qu'à leurs auteurs. »

L'art de l'écriture est réservé à la classe privilégiée
des chefs de village. L'écriture permet la spéculation
de pensée, le développement des raisonnements, l'envol des théories, la multiplication des erreurs. François tient à ce que son peuple reste attaché aux solides
réalités. Pour évaluer ses récoltes, et compter ses
enfants et ses bêtes, le paysan n'a pas besoin d'aligner
des chiffres par tranches de trois.

Le chef du village est à la fois prêtre, juge, et
capitaine. La charge ne s'acquiert pas par hérédité.
Chaque année, après la moisson, les garçons de
chaque bourg s'affrontent en de dures épreuves qui

leur permettent de faire valoir les qualités de leur esprit, de leur cœur et de leurs muscles.

Les résultats de ces épreuves et leur habituelle manière de vivre permettent facilement de connaître le meilleur d'entre eux.

Quand vient le moment, l'assemblée des chefs de famille le désigne. Un concours suprême met aux prises, si cela s'avère nécessaire, les garçons dont les mérites paraissent égaux. Le chef de vallée, parfois le patriarche lui-même, intervient pour imposer une épreuve subtile qui décèlera l'or le plus pur parmi les fins alliages.

Le chef du village prend auprès de lui le garçon choisi, et lui enseigne peu à peu les devoirs et les charges de l'autorité, lui apprend l'histoire du village, le fait profiter de son expérience et de celle de ses prédécesseurs, puis, à cinquante ans, lui cède la place, et reste à ses côtés comme conseiller.

Chaque bourg est ainsi dirigé par un homme dans la force de l'âge, assisté d'un homme expérimenté. Et tous leurs actes servent d'enseignement au jeune homme qui prendra un jour leur suite.

Les chefs de vallée sont choisis de la même façon parmi les chefs de village. François lui-même a choisi son successeur.

Autant que sa grande sagesse, et la longue et claire vie que Dieu lui a accordée, ce qui a valu au patriarche le respect des populations, c'est que parmi les deux cent vingt-huit enfants nés de ses femmes respectives, il n'a eu qu'une fille. Encore lui est-elle venue alors qu'il avait dépassé cent ans. A cette miraculeuse abondance de mâles, les paysans simples ont reconnu la faveur octroyée par le Ciel à une race de maîtres, et s'en sont réjouis.

François élève ses fils avec amour et rudesse. Il dresse devant eux, à mesure qu'ils grandissent, des obstacles qui les obligent à se grandir pour les franchir.

A l'âge d'homme, quand il les estime capables de se défendre et de conquérir, il les met à la porte de la maison paternelle, avec cette parole : « Le monde est grand. Que ton courage le soit aussi. »

A sa fille unique, son trésor, François a donné le nom de Blanche, en souvenir de sa première femme si tendrement aimée. Élevée par sa mère, gâtée par toutes les autres femmes de la maison, adorée et bousculée par une multitude de frères de tous âges, elle a grandi en sagesse, en espièglerie et en beauté, jusqu'à ses vingt ans, que tout le pays s'apprête à fêter.

Le jour de ses vingt ans sera celui de ses noces. Son père la marie à l'homme qu'il s'est choisi pour successeur. C'est un garçon de trente ans. Il se nomme Paul. Dans ses veines coule le sang breton de Narcisse, le compagnon d'épopée du patriarche. Ce dernier l'avait remarqué pour son courage, sa générosité et son intelligence, à l'occasion d'un concours entre les meilleurs adolescents de plusieurs villages. Il avait alors quinze ans.

Le vieillard l'a installé près de lui, lui a donné peu à peu des responsabilités, lui a appris les secrets redoutables du passé. Sans que nul n'en sût rien, depuis quelques années il s'est effacé derrière lui, lui a laissé prendre les décisions les plus importantes. Il sait qu'il arrive au terme de sa mission, que Dieu va lui retirer cette jeunesse si longuement prolongée pour le bonheur de son peuple. Il se sent las quand vient le soir, et surprend parfois ses mains à trembler.

A l'homme qu'il a formé, il va transmettre demain toutes ses charges, tout son pouvoir, en même temps qu'il lui fera don de sa fille.

Toutes les vallées se préparent pour la fête. Vaux est entièrement pavoisé. Des banderoles de verdure et de fleurs font aux rues des plafonds mouvants dans les trous desquels se balance le ciel. Chaque famille a invité des cousins lointains. Des délégations sont venues des points les plus reculés du pays, apporter leurs vœux de bonheur aux époux, et leur assurance de fidélité au nouveau chef. Les maisons sont pleines jusqu'en leurs greniers. Des jardinières, de lourdes charrettes sont garées dans toutes les cours, sur les aires, dans les vergers, s'allongent en files interminables sur les quatre routes qui mènent au bourg. Les lits, ce soir, ne suffiront pas. Les invités coucheront dans la paille ou sur l'herbe.

Poulets, lapins, canards, oies, dindes, agneaux ont subi l'assaut des couteaux de cuisine. Les chairs grillent devant les feux de bois, mijotent dans les coquelles de terre, les jus ruissellent, les fumets envahissent les rues, tourbillonnent au-dessus des toits.

La journée approche de sa fin. Sur la place du village, un grand tilleul se dresse. Il était déjà très vieux quand François n'était encore qu'un enfant. Son dos dépasse ceux des maisons. A son tronc s'adosse une fontaine de pierre. Son filet d'eau tombe dans un bassin long où viennent s'abreuver, au retour des champs, les bêtes du village.

Près de la fontaine, sous le grand tilleul, le patriarche et Paul aux cheveux blonds sont assis sur un banc de bois recouvert de peaux de moutons. Ils reçoivent les dernières délégations, celles qui viennent de très loin, et qui sont arrivées tard. Paul écoute et ne dit rien. Demain, seulement, il prendra la parole. Il est vêtu d'une culotte de cuir, et d'une veste de laine rouge sans manches. Ses bras nus ont la même couleur chaude que le cuir qui couvre ses cuisses. Quand il fait un mouvement, ses muscles roulent sous sa peau comme les vagues endormies sous la mer calme.

Sa barbe et ses cheveux bouclés mettent une lumière d'or autour de son visage. Ses yeux bleus regardent franchement ceux qui le regardent.

Le patriarche est vêtu d'un pantalon de lin, et d'une

blouse de fine laine blanche serrée à la taille par une ceinture de cuir tressé.

Le buste très droit, il écoute les mots simples des paysans :

— Père, nous venons de Die-sur-la-Drôme. Nous t'apportons une galette et un fromage de nos chèvres. Tous, là-bas, te font dire que les récoltes sont bonnes, et qu'ils t'aiment bien.

— Père, nous venons d'Hyères, sur la Mer. Nous t'apportons du sel fin et des poissons secs. Tous, là-bas, te font dire que la pêche est bonne et qu'ils t'aiment.

— Père, nous venons de Rives, près de l'Isère. Nous t'apportons trois feuilles de papier. La plus légère, la plus solide et la plus blanche de celles que les hommes de là-bas ont fabriquées cette année. Ils te font dire qu'ils sont heureux et qu'ils t'aiment...

Le chef répond, interroge, donne des conseils et des ordres. Sa barbe est étalée sur sa poitrine. Elle est blanche comme la plus haute neige de la montagne. Et ses cheveux sont comme des lis et des marguerites. Dans ses yeux brillent les lumières de la sagesse et de la bonté. Ceux qui s'approchent de lui, et qui reçoivent ses paroles et son regard, se retirent tremblants d'amour.

Le jour va finir. Le soleil s'enfonce, loin, à l'ouest, dans les brumes du Rhône. Les hirondelles viennent chercher jusqu'au ras du sol les insectes de nuit qui s'éveillent. Elles poussent de petits cris de victoire, remontent comme des flèches vers l'azur, avec des reflets roses sous leurs ailes.

Déjà, sur la place, la foule s'éclaircit. Dans les maisons, on s'assied autour des tables fumantes. Le patriarche va mettre fin à ses audiences. Il les reprendra demain matin.

Mais un grand bruit, un bruit de grand galop vient de la route de la vallée. Qui donc arrive avec tant de hâte ? Devant les sabots du cheval, dans les rues étroites, les femmes s'écartent en serrant leurs jupes, les enfants s'enfuient. C'est un gros cheval de labour, un cheval gris, tout fumant, couvert d'écume. Un jeune paysan le monte, le pousse, le frappe pour qu'il aille plus vite encore. Le cavalier arrête sa monture au milieu de la place, saute à terre, court vers le banc du patriarche. Ses cheveux sont hérissés. Son visage porte la marque d'une terreur indicible. Il tombe à genoux, joint les mains :

— Père, père..., dit-il.

Il ne peut pas continuer. Il porte une main à sa gorge serrée de peur. De l'autre, il montre ce coin de l'horizon d'où il vient, chassé par quelque vision épouvantable, et s'écroule à terre évanoui.

Les dîneurs ont quitté leurs assiettes. Par les portes laissées ouvertes sortent les odeurs des nourritures abandonnées. Dans les rues se pressent les gens angoissés.

— Que se passe-t-il ?

Sur la place, autour du garçon évanoui et du patriarche, un cercle se resserre. Le vieillard dit quelques mots à Paul. Celui-ci se baisse, ramasse le jeune laboureur, le soulève comme une plume, l'emporte dans ses bras puissants vers la maison du chef. François se lève, fait signe qu'on se taise. Il fait signe des deux bras, crie : « Taisez-vous ! » Le silence gèle la place, gagne les rues, fige les hommes, les femmes, les enfants giflés.

Alors chacun peut entendre ce que les oreilles du

patriarche avaient déjà entendu, par-dessus la rumeur
de la foule.

C'est un grondement sourd, irrégulier, comme
haletant, qui vient de l'ouest. C'est un bruit que
jamais aucun de ceux qui sont là n'a entendu. Il
s'approche, il grandit. Il est aux portes du village.
C'est comme un bruit de bataille entre un chien enragé
et un chat en colère, tous deux gros comme vingt
chevaux. Le chien gronde entre ses dents, le chat
crache et grince.

Les hommes pâlissent. Ils sentent leurs poils se
dresser tout le long de leur peau. Les femmes se
mordent les poings, les mères rassemblent leurs
enfants autour de leurs jambes. Le vacarme
augmente. Le sol tremble. Un monstre abominable
entre dans la première rue du village. Ceux qui l'ont
vu en face tombent, étendus, le long des murs, ou à
genoux, éperdus d'épouvante, et n'ayant plus d'espoir
qu'en Dieu.

Ceux qui ne l'ont qu'entrevu fuient. Ils fuient droit
devant. Rien ne pourrait les arrêter. Ceux qui les
voient passer avec un tel visage sentent le sang leur
tomber d'un seul coup dans les cuisses, et, sans
demander plus, se mettent à fuir à la même vitesse.
Hommes, femmes, enfants, vieillards, tout ce qui peut
courir court vers la montagne, s'agrippe aux herbes,
aux buissons, aux troncs des sapins, se hâte vers le
sommet.

Dans le village abandonné, la bête poursuit sa
route. Sur son passage, les maisons tremblent, les
poules s'envolent par-dessus les murs des basses-
cours, les chevaux ruent dans les étables. Là où elle est
passée, le sol fume. Son ventre rouge crache dans tous
les sens des jets de flamme.

Le patriarche n'a rien fait pour arrêter la panique. Il est resté debout au milieu de la place. Il attend. La machine s'arrête devant lui, sur ses six roues de bronze massif. Elle continue à tressauter et à trembler au rythme des pistons. Derrière la chaudière de cuivre tournent de grandes roues dentées. Un nuage de vapeur monte, dépasse le tilleul centenaire, rattrape la lumière du soleil couchant, et s'y teint de rouge.

Un homme saute à terre. C'est un colosse. Son buste nu, son tablier de cuir, son visage sont noirs de suie et de charbon.

Il s'avance jusqu'au chef. Sa barbe noire est roussie. Sa peau fume. Il sent la sueur et le feu. Il met un genou en terre, baisse la tête en signe de soumission, puis relève vers le vieillard son visage de charbon où brillent des yeux d'orgueil.

— Père, dit-il, voici ce que je t'apporte. Aujour-d'hui, nul ne t'aura fait pareil cadeau.

François le regarde sans étonnement, ni joie. Ses yeux sont de glace.

— Je te reconnais, dit-il. Tu es Denis, chef de la forge du Mont-Ventoux.

— Oui, père.

— Relève-toi. C'est toi qui as construit cette machine ?

— Oui, père. J'y travaille en secret depuis dix ans. Mes compagnons m'ont aidé à forger ses pièces, une à une, mais sans savoir à quoi elles allaient servir. Je l'ai montée tout seul, dans une remise bien close, j'y ai travaillé toutes mes nuits. Je voulais t'en faire la surprise...

La nuit tombe sur le village. Derrière le forgeron debout, la machine rougeoie et halète. Elle est bâtie d'énormes poutres de bois, d'une grande chaudière de

cuivre, et de roues et de pistons et d'autres organes de
bronze. Elle gicle une vapeur qui tournoie autour
d'elle.

La barbe du patriarche luit doucement dans la
pénombre.

— Comment t'est venue l'idée de construire cette
machine ? L'as-tu prise dans quelque livre ? Je croyais
que tu ne savais pas lire ?

— Non, père, je ne sais pas lire et l'idée ne m'est
pas venue d'un livre, mais en considérant une marmite
sur le feu. L'eau qui bouillait en soulevait le couvercle. J'ai voulu utiliser la force de l'eau bouillante. J'ai
construit d'abord un engin qui faisait tourner la roue
de ma brouette au moyen d'un lien de cuir plat. Puis
j'ai voulu faire plus grand. Je suis parvenu à mes fins,
père, tu le vois, et je t'apporte ma machine. Tu es très
vieux et très sage. Avec tes conseils, j'espère la rendre
plus forte encore et plus utile, et en construire d'autres
qui épargneront aux hommes, mes frères, beaucoup
de leurs peines de chaque jour...

Le forgeron tend ses deux mains en avant, en geste
de don. Il est fier d'avoir construit cette merveille. Il
est heureux de la donner à celui dont la sagesse fait le
bonheur de tous. Son cœur est plein d'amour et de
joie.

Mais il recule tout à coup. Dans la nuit, la voix du
patriarche gronde plus fort que celle de la machine, et
lui apporte les mots d'une terrible colère :

— Insensé ! crie le vieillard. Le cataclysme qui
faillit faire périr le monde est-il déjà si lointain qu'un
homme de ton âge ait pu en oublier la leçon ? Ne sais-
tu pas, ne vous l'ai-je pas appris à tous, que les
hommes se perdirent justement parce qu'ils avaient
voulu épargner leur peine ? Ils avaient fabriqué mille

et mille et mille sortes de machines. Chacune d'elles
remplaçait un de leurs gestes, un de leurs efforts. Elles
travaillaient, marchaient, regardaient, écoutaient pour
eux. Ils ne savaient plus se servir de leurs mains. Ils ne
savaient plus faire effort, plus voir, plus entendre.
Autour de leurs os, leur chair inutile avait fondu.
Dans leurs cerveaux, toute la connaissance du monde
se réduisait à la conduite de ces machines. Quand elles
s'arrêtèrent, toutes à la fois, par la volonté du Ciel, les
hommes se trouvèrent comme des huîtres arrachées à
leurs coquilles. Il ne leur restait qu'à mourir...

— Père, père..., répète l'homme éperdu.

— Tais-toi ! Je ne te laisserai pas t'engager de
nouveau, et tes frères derrière toi, sur cette route de
malheur. Cette machine sera détruite. Hélas ! il faut
que soit détruit aussi le cerveau qui l'a conçue.

L'épouvante s'empare du forgeron, puis la colère
l'empoigne à son tour. Il n'a pas voulu faire le mal. Il
est innocent. Il est pur. Il est certain d'avoir raison. Il
veut rendre plus aisée la tâche des hommes, et non pas
faire leur malheur. Le vieillard divague. Il le lui crie.
Il dit qu'il ne permettra pas qu'on touche à son chef-
d'œuvre. Il bondit sur sa machine, s'empare d'une
lourde barre de bronze. Le foyer met des reflets de
flamme dans sa barbe, éclaire ses narines, et le creux
de ses yeux furieux.

Lentement, le patriarche vient vers lui. Il a tiré de
sa ceinture son couteau de bronze. Il est déterminé à
sauver l'œuvre à laquelle il a consacré plus de cent ans
de sa vie. Il faut détruire le mal dès sa naissance. Cette
détermination mobilise tout ce qui reste en lui de
force. Il se baisse, ramasse une lourde pierre et la
lance. Elle atteint Denis au visage.

Du nez écrasé, de la peau du front fendue, le sang

coule, vernit ses joues et sa barbe d'une lueur de feu. Le forgeron rugit de douleur, lève sa barre à deux mains et l'abat sur François qui vient de sauter sur la machine. La masse frappe la tête blanche, la fait éclater comme une noix. Le vieillard tombe en arrière, sans un cri, dans la nuit qui l'absorbe.

Un grand vent se lève. Du fond de la vallée, il arrive en rugissant, ferme les portes qui claquent, emporte vers la montagne l'odeur et la fumée de la machine. Les arbres gémissent, l'eau du torrent bouillonne. Un voile noir envahit le ciel, efface les étoiles. La terre gronde, les monts tremblent sur leurs racines. Les hommes cramponnés aux troncs des arbres claquent des dents. Les femmes pleurent, les enfants hurlent. Des torrents d'eau tombent du ciel noir, brisent les branches, ravagent les terres. La rivière enflée rugit comme une mer.

Denis a sauté à terre. Il se penche sur le corps du vieillard. La pluie coule sur ses épaules. Il sanglote de remords et de terreur. De ses mains, il cherche le corps vénérable, la belle tête blanche. Du bout des doigts, il sent les morceaux d'os, et la cervelle mêlée aux cheveux, et le sang plus gras que la pluie. Il se relève, il va s'enfuir, il ne sait où, loin de ces lieux témoins du parricide. Il avance de quelques pas. Une branche du tilleul le saisit à la gorge. La nuit se ferme autour de lui comme un mur. Il hurle, recule vers sa machine. Elle le défendra. Il s'ouvrira avec elle un chemin à travers les ténèbres, à travers les murailles et la tempête.

Mais il reste figé sur place. La machine a bougé. Elle crache des flammes, gronde de tous ses membres. Les pistons halètent, les roues dentées tournent, grincent. La masse énorme s'avance vers lui, écrase la

nuit, la pluie, la boue, les roches. Elle arrive, elle
l'atteint, le renverse, l'aplatit, l'enfonce dans la terre,
prend le chemin qui descend vers la rivière. Le
chemin descend, de plus en plus. La machine s'em-
balle, saute les talus, défonce les haies, file comme une
avalanche. Un homme blond est aux commandes et la
conduit vers l'abîme. Il saute à terre, roule dans
l'herbe et la boue. La masse énorme de métal et de feu
s'enfonce dans l'eau rugissante. Ses charbons sifflent
comme des serpents. Le torrent l'emporte, la roule, la
disloque, la détruit, la réduit en tout petits morceaux,
vis par-ci, vis par-là, mêlés aux galets et aux rivages
emportés, aux meules qui flottent, aux porcs noyés
dont les pattes raides sortent de l'eau noire dans l'air
noir.

Le vent est calmé. La pluie tombe maintenant tout
droit, calme et lente comme des larmes. Paul remonte,
tête basse, le chemin qu'il a fait descendre au monstre.
Son cœur est en deuil. Il est arrivé trop tard.

Il a porté le jeune paysan évanoui à la maison du
chef, la maison que le patriarche avait fait agrandir
pour y loger ses ministres à côté de ses femmes et de
ses laboureurs. Il a été retenu par la panique. Il a dû
rassurer tout le monde, empêcher les femmes et les
enfants et les hommes de fuir, avant de courir
rejoindre François. Son cœur est plein de douleur. Il
est arrivé trop tard ; il est arrivé pour voir le vieillard
tomber en bas de l'énorme machine, de l'engin
semblable à tant de ceux que le père du monde
nouveau lui avait décrits. Il a sauté sur le monstre. Il a
voulu le briser. Il a frappé, remué des leviers et des
volants. La machine est partie en crachant. Il a saisi
une barre qui s'enfonçait devant lui dans les entrailles
de bronze. Il a conduit la machine à la mort.

*

Quand le soleil se leva dans le ciel pur, les hommes redescendirent de la montagne. Sur la place du village, ils trouvèrent le tilleul abattu par la tempête, et leur nouveau chef à genoux, en prière, près du corps du patriarche.

Le chef blond se leva, fit vider le bassin de pierre. Dans le lourd cercueil, la dépouille lavée par l'eau du ciel fut étendue. Vingt paysans le prirent sur leurs épaules, et s'avancèrent vers la maison du grand vieillard mort. Derrière eux, tous les gens du village, et ceux qui étaient venus de très loin, pleuraient leur deuil d'orphelins.

Toute la nuit, Blanche avait veillé, attendu le retour de son père et de son époux. Quand elle entendit la rumeur, elle s'en fut ouvrir la grille. En passant près des rosiers, elle cueillit une rose, et la mit dans ses cheveux.

Paris, 6 septembre 1942.

DU MÊME AUTEUR

Aux Éditions Denoël

RAVAGE, 1943. Nouvelle édition revue et modifiée en 1975 (Folio n° 238 ; Folioplus classiques n° 95)

CINÉMA TOTAL. Essai sur les formes futures du cinéma, 1944

TARENDOL, 1946 (Folio n° 169)

JOURNAL D'UN HOMME SIMPLE, 1951. Nouvelle édition en 1982

JOUR DE FEU, 1957

LE VOYAGEUR IMPRUDENT, 1958. Nouvelle édition augmentée en 1985 (Folio n° 485)

LE DIABLE L'EMPORTE, 1959 (Folio Science-Fiction n° 48)

COLOMB DE LA LUNE, 1962 (Folio n° 955)

LA FAIM DU TIGRE, 1966 (Folio n° 847)

LA CHARRETTE BLEUE, 1980 (Folio n° 1406)

LA TEMPÊTE, 1982 (Folio n° 1696)

L'ENCHANTEUR, 1984 (Folio n° 1841)

DEMAIN LE PARADIS, 1986

Au Mercure de France

LA PEAU DE CÉSAR, 1985 (Folio policier n° 64)

Aux Presses de la Cité

LA NUIT DES TEMPS, 1968

LES CHEMINS DE KATMANDOU, 1969

LES ANNÉES DE LA LUNE, 1972
LE GRAND SECRET, 1973
LES ANNÉES DE LA LIBERTÉ, 1975
LES ANNÉES DE L'HOMME, 1976
LES FLEURS, L'AMOUR, LA VIE, 1978
UNE ROSE AU PARADIS, 1981

En collaboration avec Olenka de Veer

LES DAMES À LA LICORNE, 1974
LES JOURS DU MONDE, 1977

Chez d'autres éditeurs

BÉNI SOIT L'ATOME ET AUTRES NOUVELLES
(1re publication en 1946), *Librio*, 1998
LE PRINCE BLESSÉ, *Flammarion*, 1974
SI J'ÉTAIS DIEU..., *Garnier*, 1976
LETTRE OUVERTE AUX VIVANTS QUI VEULENT
LE RESTER, *Albin Michel*, 1978
ROMANS MERVEILLEUX, *Omnibus*, 1995
ROMANS EXTRAORDINAIRES, *Omnibus*, 1995
RÉCITS DES JOURS ORDINAIRES, *Omnibus*, 2000

Impression Novoprint
à Barcelone, le 20 janvier 2012
Dépôt légal: janvier 2012
Premier dépôt légal dans la collection : novembre 1972

ISBN 978-2-07-036238-7 . / Imprimé en Espagne.